Chères lectrices,

Fermez les yeux [...] e dans la montagne enneigée [...] tinuez de skier, mais vous sentez vos forces s'amenuiser, le froid engourdir votre corps. Et puis soudain, dans le lointain, vous apercevez une lumière. Vous vous approchez, et vous découvrez, émerveillée et soulagée, un magnifique chalet de bois sous la neige, à l'intérieur duquel règne une douce lumière, peut-être celle d'un bon feu de cheminée. Vous frappez à la porte, et un homme incroyablement beau vous ouvre… Voilà comment débute le conte de fées que va vivre Miranda, l'héroïne de *Amoureuse d'un milliardaire* (Azur n° 2672). Un conte de fées plein de charme et de surprises, qui vous fera éprouver des émotions intenses et délicieuses…

Sans oublier les autres volumes de votre collection, bien sûr !

Excellente lecture à toutes.

La responsable de collection

L'amant de Tarika Bay

ROBYN DONALD

L'amant de Tarika Bay

COLLECTION AZUR

———————

éditions Harlequin

Cet ouvrage a été publié en langue anglaise
sous le titre :
THE TEMPTRESS OF TARIKA BAY

Traduction française de
ALEXANDRINE THARAUD

HARLEQUIN®

est une marque déposée du Groupe Harlequin
et Azur ® est une marque déposée d'Harlequin S.A.

Toute représentation ou reproduction, par quelque procédé que ce soit, constituerait une contrefaçon sanctionnée par les articles 425 et suivants du Code pénal.
© 2003, Robyn Donald. © 2007, Traduction française : Harlequin S.A.
83-85, boulevard Vincent-Auriol, 75013 PARIS — Tél. : 01 42 16 63 63
Service Lectrices — Tél. : 01 45 82 47 47
ISBN 978-2-2802-0575-7 — ISSN 0993-4448

1.

Morna Vause n'avait jamais vu de taureau aussi majestueux. Elle l'observa avec une extrême attention tandis qu'il passait lentement devant ses yeux. Autour d'elle, une foule en liesse assistait au grand concours agricole, organisé dans cette région prospère de Nouvelle-Zélande.

— Ce splendide taureau pourrait se ruer sur nous en un clin d'œil ! murmura Morna à sa voisine, d'une voix pleine d'appréhension. Comment une barrière aussi mince serait-elle assez solide pour le retenir ?

Cathy Harding lui lança un regard amusé avant de déclarer :

— Décidément, tu seras toujours une incorrigible citadine. Crois-tu vraiment qu'une bête aussi imposante serait capable de courir après toi ? Autant lui demander d'attraper une gazelle ! Il n'y a absolument rien à craindre. Est-ce que tu ne t'ennuierais pas plutôt ? Peut-être devrions-nous rentrer.

— Certainement pas ! se récria Morna.

Puis, levant la tête, elle se mit à observer le ciel de Sommerville. En ce début d'automne, un bleu tendre plus nuancé avait succédé à l'azur éclatant des mois d'été. Quelle exceptionnelle palette de couleurs ! songea-t-elle, remplie d'admiration. Nulle part ailleurs, elle n'avait vu de paysage d'une telle beauté.

Nonchalamment, Morna laissa vagabonder son regard en direction des spectateurs qui l'entouraient. Soudain son attention fut attirée par un homme qui se tenait à quelques mètres d'elle. Grand, les cheveux d'un noir intense, la peau mate, une autorité naturelle semblait émaner de lui. Morna ne pouvait détacher les yeux de son profil altier. Un frisson la parcourut comme pour l'avertir d'un danger. Par le passé, un seul homme avait su provoquer en elle un tel trouble. Glen... Son premier, son unique amour.

Et pour quel résultat ? Des années de souffrance et d'humiliation !

Pourtant, ce bel étranger au corps d'athlète ressemblait fort peu à Glen. Il paraissait dans son élément à la campagne, alors que Glen n'aimait que le faste de la vie citadine.

Frissonnant malgré elle, Morna observa l'inconnu avec une attention accrue. Il était séduisant, cela ne faisait aucun doute ! Mais son extrême assurance semblait teintée d'une certaine arrogance.

Encore un Glen de plus ! Morna en aurait mis sa main à couper. A cet instant, elle sentit naître en elle une antipathie instinctive envers cet inconnu pourtant si fascinant. Ne s'était-elle pas juré de ne plus laisser aucun homme lui briser le cœur ? Alors, pourquoi continuer à accorder la moindre pensée à Glen ou à un individu de son espèce ? Cela n'en valait pas la peine.

Elle secoua la tête pour chasser ces sombres pensées de son esprit, et observa de nouveau les bêtes magnifiques qui défilaient sous ses yeux.

— Regarde ! Voici Marty, accompagné de notre plus

beau taureau ! s'exclama Cathy, le visage rayonnant de joie. Nick est si fier qu'il ait obtenu le premier prix.

Nick Harding n'était autre que le mari de Cathy et le frère adoptif de Morna.

— Quelle bête superbe ! renchérit Morna, en ramenant délicatement une boucle de ses longs cheveux noirs sous son chapeau.

— Superbe ? Epoustouflant, veux-tu dire, gloussa Cathy.

La jeune femme se tourna vers Morna avant d'ajouter :

— Hier, je t'ai vue admirer la robe des taureaux en compagnie de Nick. On aurait dit une vraie profession-nelle.

— Oui, je dois dire que leur couleur d'un brun si riche et éclatant est absolument fascinante. Quel rêve ce serait de créer un bijou d'une teinte aussi merveilleuse ! Peut-être qu'à l'aide de l'émail, j'y parviendrai un jour.

— Que les couleurs de la nature t'inspirent à ce point, cela m'étonnera toujours. La joaillerie est un art si raffiné, si sophistiqué...

— L'or, les diamants, toutes ces innombrables et sublimes pierres précieuses sont de somptueux cadeaux de la nature, expliqua Morna avec un large sourire. Révéler leur beauté, voici mon seul désir. Et puis, on peut être extrêmement raffiné et adorer vivre au contact de la nature. Nick en est l'exemple parfait.

— Tu as tout à fait raison. L'élevage est devenu pour lui une véritable passion, affirma Cathy.

— Pourtant, je puis t'assurer qu'enfants, nous étions de petits citadins ignorant tout de la campagne ! déclara Morna en riant. Ça ne l'a pas empêché de venir s'installer ici, dans le Nord, pour y élever du bétail. Et ce, après avoir brillamment réussi dans les affaires à Auckland.

Soudain, Morna se mordit la lèvre. Pourquoi diable avait-il fallu qu'elle évoque un passé qu'aucune d'elles ne souhaitait voir resurgir ?

Tout à coup, le rire sensuel d'un homme parvint à son oreille. Instantanément, l'image du bel inconnu aux cheveux noirs apparut devant ses yeux. Bonté divine ! Quand allait-elle cesser de réagir comme une adolescente ? se demanda Morna, furieuse contre elle-même.

S'efforçant de reprendre ses esprits, elle s'adressa de nouveau à Cathy :

— Pardonne-moi. J'aimerais tant pouvoir oublier le passé. Que nous devions notre rencontre à Glen restera toujours pour moi un éternel regret.

— Le destin en a décidé ainsi. Nous n'y pouvons rien, répondit Cathy avec philosophie. D'ailleurs, sans cela je n'aurais jamais connu l'immense bonheur d'épouser Nick. Et je suis certaine que toi aussi, tu finiras par rencontrer un homme digne de ton amour.

— J'aimerais pouvoir partager ton optimisme.

— Ne sois pas si sombre. A présent, je peux bien te l'avouer. Il m'est arrivé d'éprouver une terrible jalousie à ton égard, déclara Cathy en lui lançant un regard en biais. La première fois que je vous ai vus, Nick et toi, j'ai cru que vous étiez amoureux l'un de l'autre.

Morna regarda Cathy droit dans les yeux avant de répondre d'un ton convaincu :

— Je donnerais ma vie pour lui. Tu le sais parfaitement. C'est vrai, nous nous aimons. Mais d'un amour fraternel, même si nous ne sommes pas frère et sœur de sang. Et il n'en sera jamais autrement. Ça, je puis te l'assurer.

L'amour protecteur que Nick portait à sa jeune épouse,

d'une si délicate beauté, attendrissait Morna. Bien qu'elle fût elle-même d'une taille élancée et débordante de vitalité, elle aurait aimé connaître, comme Cathy, la présence rassurante d'un homme attentionné à ses côtés.

Soudain, Morna eut l'impression qu'on la fixait d'un regard intense.

— Hawke Challenger ! s'exclama Cathy. Comment n'y avais-je pas pensé plus tôt ! Voilà l'homme qu'il faut que je te présente. Je viens juste de l'apercevoir. Il se tient à deux pas de nous, juste derrière toi. Un vrai gentleman. Il vient de rentrer d'Afrique du Sud, où il s'était rendu pour ses affaires.

Intriguée, Morna pivota sur ses talons. Ses yeux rencontrèrent aussitôt ceux du bel inconnu aux cheveux noirs. Pendant quelques secondes, il l'observa avec assurance, d'un regard entendu.

— Ce mufle ? Un gentleman ? Tu plaisantes, j'espère ! s'exclama Morna d'un ton sec, furieuse de s'être laissé ainsi dévisager.

— Je suis on ne peut plus sérieuse, répliqua Cathy d'un air amusé. Il possède la moitié de la région. Entre autres un ranch immense et le très chic club de vacances de Sommerville, dont le parcours de golf jouit d'une réputation incroyable dans tout le pays.

Morna sentit une profonde appréhension monter en elle en constatant qu'elle n'avait pu rester indifférente au sourire éclatant que Hawke Challenger venait d'adresser à une de ses voisines. Comment résister à une telle alliance de virilité et de charme ? D'ailleurs, toutes les femmes le regardaient, discrètement dissimulées derrière leurs lunettes de soleil.

Elle ne pouvait le nier, une attirance irrésistible la poussait vers lui. Et pourtant, le calme qu'il affichait, son regard impénétrable, et quelque chose d'indéfinissable dans son sourire la persuadait qu'il était de la même race que Glen : un prédateur. Eviter tout contact avec cet homme était une nécessité absolue, Morna en était certaine. Mais pourquoi Cathy ne semblait-elle pas s'en apercevoir ? Il fallait lui ouvrir les yeux. Et au plus vite !

— Ce Hawke Challenger me déplaît souverainement, déclara Morna avec véhémence. Quelle suffisance ! Horripilant, voilà le terme qui lui convient le mieux.

— Tu as donc décidé de ne pas lui laisser la moindre chance ? demanda Cathy, surprise.

— Il est plutôt bel homme, je te le concède, répondit Morna à contrecœur.

S'efforçant de fixer son attention sur le bétail assemblé sous ses yeux, elle tentait de maîtriser l'émotion qui l'envahissait. En vain...

— Plutôt bel homme ? C'est le moins qu'on puisse dire ! Alors, que comptes-tu faire ? interrogea Cathy.

— Absolument rien ! répliqua Morna en tournant ostensiblement le dos à Hawke Challenger. Nick mis à part, les hommes séduisants sont souvent extrêmement égoïstes et vaniteux. Je ne le sais que trop. D'ailleurs, je mettrais ma main au feu que ton beau don Juan est en train de choisir sa prochaine victime.

— Bravo ! Tu joues très bien les cyniques, rétorqua Cathy, avec une lueur espiègle dans le regard. J'adore ton sourire en coin et ton air détaché ! Mais si tu ne te trompes pas, c'est sur toi qu'il vient de jeter son dévolu. Il ne cesse de te dévorer des yeux... Avec discrétion, bien sûr. Hawke est toujours très discret, pour ne pas dire secret.

Morna se raidit.

— C'est parfaitement impossible ! répliqua-t-elle avec une assurance un peu forcée. C'est sûrement toi qu'il observe. Il doit se dire que Nick a une chance inouïe de t'avoir épousée.

— Certainement pas, déclara Cathy en éclatant de rire. Hawke n'est pas homme à s'enticher d'une femme mariée. Et pourquoi trouves-tu si extravagant d'avoir attiré son attention ? Ton tempérament passionné se lit sur ton visage. Et tu as un port de reine !

— Merci pour ce portrait flatteur, répondit Morna d'un ton incrédule.

— Toutes les femmes ici se sentiraient flattées d'avoir été remarquées par Hawke, observa Cathy. Toutes… sauf toi. Pourquoi une telle méfiance ? Certes, il possède une exceptionnelle confiance en lui. Pour autant, la vanité lui est étrangère. Tu peux me croire. Je le connais bien puisque nous sommes voisins.

— Quel extraordinaire talent d'avocate ! déclara Morna. Tu n'es pas loin de m'avoir convaincue. Peut-être n'a-t-il rien, en effet, d'un abominable chef d'entreprise égocentrique et tyrannique.

— C'était donc ainsi que tu l'imaginais ! s'écria Cathy en pouffant de rire.

— Evidemment ! lança Morna avec un sourire en coin.

— Ça alors, on dirait que tu le connais depuis toujours, répliqua sa voisine en riant aux éclats.

— Dieu merci, il n'en est rien ! D'ailleurs, depuis un mois que je suis installée près de chez vous, à Tarika, je n'ai lié connaissance avec personne.

— Tu as été très occupée par ton déménagement et ton travail. Mais à présent, tu devrais te détendre un peu. J'espère avoir le plaisir de te compter parmi nous à chacune de nos réceptions. Sors. Vois du monde. Si tu continues à ce rythme, tu risques de mourir d'épuisement.

— C'est vrai. Mais ai-je le choix ? On doit honorer les commandes coûte que coûte quand on est à la tête de sa propre entreprise, aussi petite soit-elle.

Ce fut le moment que choisit Hawke Challenger pour adresser un large sourire à Cathy. Avec empressement, la jeune femme le salua d'un gracieux signe de tête.

Ainsi, Cathy osait fraterniser avec l'ennemi ! Morna ne pouvait en croire ses yeux !

— Quel charmant sourire, tu ne trouves pas ? demanda Cathy.

— Charmant ? Carnassier est le mot juste ! affirma Morna d'un ton cassant. Sais-tu que ton cher M. Challenger prétend réussir à prendre possession des terres et des somptueuses plages autour de Tarika ? Tu l'ignorais, je suppose. Evidemment, Jacob a refusé tout net de les lui céder. C'est lui-même qui me l'a confié peu de temps avant sa mort.

— Ces terres jouxtent la propriété de Hawke. Qu'il désire les acquérir n'a rien d'anormal, répondit Cathy avec calme.

— Eh bien, j'en suis l'héritière à présent. Pour rien au monde je ne les vendrais à qui que ce soit. Et certainement pas à un individu aussi antipathique !

— Pourquoi te montres-tu aussi injuste à son égard ? Vous n'avez pas échangé une seule parole et tu le détestes déjà.

— Pas le moins du monde ! Et cesse de jouer les entremetteuses, s'il te plaît. De toute façon, il est beaucoup trop jeune pour moi.

Cathy éclata de rire.

— Il a trente-deux ans, tout comme Nick, précisa-t-elle. Et ne viens-tu pas de fêter ton trente-quatrième anniversaire ? Je doute que l'on puisse t'accuser de détournement de mineur.

A cet instant, Hawke Challenger lança de nouveau un long regard pénétrant en direction de Morna, et cette fois, elle perçut comme une lueur de défi dans ses yeux d'un vert si intense.

Malgré le trouble qui l'envahissait, elle s'efforça de soutenir son regard. Mais ces quelques secondes lui semblèrent durer une éternité... Lorsqu'il détourna enfin la tête, elle vit un sourire moqueur flotter sur ses lèvres sensuelles.

Quel ignoble individu ! Se croyait-il donc irrésistible ? fulmina-t-elle en son for intérieur, aussi furieuse contre lui que contre elle-même. Tous ses efforts pour endurcir son cœur contre ce genre d'homme avaient-ils été vains ? Mais ce n'était pas le moment d'y penser. A présent, il lui fallait avant tout recouvrer son calme.

— Quelques propriétaires de la région m'ont déjà acheté des bijoux, parvint à prononcer Morna d'une voix monocorde. Ce Hawke Challenger ne leur ressemble en rien. Parader sur un splendide étalon noir devant des touristes ébahis lui sied sûrement à merveille. Quant à s'attaquer au dur labeur d'un ranch... je doute fort qu'il en soit capable.

— Bien au contraire, affirma Cathy. L'élevage n'a aucun secret pour lui. Sa famille possédait une immense exploitation sur la côte Est. C'est là qu'il a passé toute son enfance.

Soudain, Morna sentit que Hawke l'observait de nouveau, et elle fut saisie d'une indéfinissable et profonde émotion. Ne surtout pas cesser de parler à Cathy, pensa-t-elle. C'était sa seule planche de salut ! L'unique moyen de garder un semblant de sérénité.

15

— Si ce que tu dis est vrai, explique-moi pour quelle raison il se consacre surtout au tourisme ? demanda Morna.

— Détrompe-toi, répondit Cathy. Il possède des terres dans tout le pays et même à l'étranger. Pourtant, c'est près d'ici, à Orewa, qu'il a décidé d'implanter ses bureaux.

Morna se rendait compte que, bien malgré elle, cet homme piquait sa curiosité.

— Pourquoi a-t-il choisi de s'installer ici puisque sa famille est originaire de la côte Est ? demanda-t-elle d'un ton qui se voulait désinvolte.

— Il te suffirait de le lui demander, répliqua Cathy d'un air mutin. Lorsqu'il l'a rachetée, l'exploitation de Sommerville se trouvait à l'abandon. C'est grâce à un travail acharné qu'il l'a transformée en un ranch exceptionnel. Du coup, il a créé beaucoup d'emplois dans la région. Tous ici le respectent profondément et lui vouent une admiration sans bornes. Mais ce n'est pas tout ! Qui a eu cette fabuleuse idée de développer le tourisme ? Hawke, bien sûr ! C'est vraiment l'entrepreneur le plus créatif que je connaisse. Voilà au moins une qualité qui devrait trouver grâce à tes yeux. Pour aménager le littoral, il a commencé par détruire l'immense maison bourgeoise qui surplombait la baie de Sommerville...

— Quel barbare ! s'exclama Morna, scandalisée.

— Absolument pas ! Depuis longtemps, elle ne subsistait plus qu'à l'état de ruine. Tout le monde ici est ravi des changements qu'il a apportés. A commencer par le golf magnifique qui attire tant de touristes. Ne me dis pas que tu ne l'as pas vu. Tu le traverses deux fois par jour lorsque tu daignes quitter ta précieuse cabane pour te rendre à Auckland dans ta bijouterie.

— Ma cabane ? Une fermette au charme fou, tu veux

dire ! rectifia Morna, tout en jetant un rapide coup d'œil en direction de Hawke Challenger.

Un sourire d'une incroyable sensualité se dessina sur ses lèvres. Aussitôt, une émotion intense submergea Morna. En faisant un terrible effort sur elle-même, elle parvint malgré tout à écouter Cathy qui disait d'un air malicieux :

— Charmante fermette ou vieille cabane délabrée... ce n'est qu'une question de point de vue.

— Certes, elle est ancienne, reconnut Morna. Mais en parfait état et très confortable. Pour l'instant, je n'en suis encore que locataire, mais une fois la succession de Jacob réglée, elle m'appartiendra pour de bon. Je pourrai enfin m'y sentir vraiment chez moi. Dieu merci, je pense ne pas souvent croiser ce Hawke Challenger sur mon chemin. Il appartient à un monde où, si l'on achète fréquemment de somptueux bijoux, on ne s'abaisse pas à fréquenter ceux qui les créent.

De nouveau, Morna lança un regard vers cet homme si séduisant. Cette fois, pendant un long moment, il l'observa d'un air calme et impénétrable. Et elle sentit son corps s'embraser. Soutenir son regard plus longtemps était au-dessus de ses forces. Elle se détourna pour essayer de se concentrer sur ce que lui disait Cathy.

— Ton loyer doit être assez modeste, je suppose ?

— En effet, le montant est plus que raisonnable, répondit Morna d'une voix monocorde.

— Nous sommes enchantés que tu aies décidé de venir vivre si près de nous. Nick ne peut s'empêcher de se faire du souci à ton sujet.

— Il me considère toujours comme la petite sœur qu'il protégeait. Pourtant, ça fait longtemps que je ne suis plus une petite fille. A présent, je suis parfaitement capable de prendre mon destin en main.

— En es-tu si certaine ? interrogea Cathy, d'une voix douce et empreinte de sincérité. Nick désapprouve ta décision concernant l'héritage de Glen. Et je partage totalement son avis. Refuser presque tout ce qu'il te lègue constituerait une terrible erreur. Glen avait fini par comprendre à quel point il s'était montré ignoble envers toi.

Ces paroles replongèrent Morna dans de douloureux souvenirs…

Elle venait de fêter son vingtième anniversaire lorsqu'elle était tombée éperdument amoureuse de Glen Spencer. Celui-ci était le propriétaire de l'agence publicitaire où Nick faisait alors ses premières armes. N'écoutant que son cœur, elle n'avait pas hésité une seconde lorsqu'il lui avait proposé de partager son somptueux appartement. Et pendant cinq merveilleuses années, elle avait connu un bonheur idyllique.

Mais tout s'était brisé le jour où Glen avait posé les yeux sur Cathy. La jeune femme était belle, jeune, et vulnérable. Du jour au lendemain, il avait ordonné à Morna de quitter son appartement et de sortir de sa vie. Mais il savait qu'il lui brisait le cœur. Pour soulager sa conscience, il lui avait offert de suivre des cours dans une prestigieuse école d'art. A l'autre bout du monde, évidemment.

Cachant sa douleur et ravalant sa fierté, Morna avait accepté la proposition de Glen. A peine était-elle partie qu'il avait épousé Cathy au cours d'une fastueuse cérémonie… Pour piquer l'ego de celui qui avait si outrageusement trompé la jeune fille romantique et naïve qu'elle avait été, Morna avait mis un point d'honneur à le rembourser jusqu'au moindre centime.

A l'époque, Cathy ignorait tout des agissements de Glen. De même, elle n'avait rien su de la raison qui avait poussé Nick à abandonner une prometteuse carrière de publicitaire pour s'aventurer seul dans le monde impitoyable des nouvelles technologies. Très vite, il s'y était bâti un empire, grâce à sa vive intelligence et à ses compétences exceptionnelles.

Quatre ans après son mariage, Glen avait trouvé la mort dans un terrible accident. Par testament, il avait légué à Morna la somme exacte qu'elle s'était efforcée de lui rembourser. Ce qui avait poussé Glen à lui faire cet ultime affront, elle ne le savait toujours pas…

— Morna, s'il existe la moindre amitié entre nous, écoute-moi, s'il te plaît, reprit Cathy. Pour payer tes études, tu as travaillé des nuits entières comme serveuse, dans des night-clubs sordides. Non seulement tu as refusé l'argent de Glen, mais aussi celui de Nick. A présent, cet héritage t'apporterait une tranquillité que tu n'as jamais connue. Garde-le. Ne refuse pas les cadeaux que t'offre la vie !

— Ce n'était pas aussi terrible que tu sembles l'imaginer, répliqua Morna d'un ton où perçait une légère ironie. Dans les night-clubs on a d'excellents pourboires. Et quoi que tu puisses dire, je refuserai toujours de me sentir redevable envers Glen. D'ailleurs, je me suis juré de gagner ma vie par mes propres moyens. Jamais plus je ne dépendrai d'un homme !

Cathy lui jeta un regard d'admiration et d'agacement mêlés, avant d'ajouter :

— Mais puisque Glen n'est plus de ce monde à présent, pourquoi persister à prendre une revanche sur lui en refusant son héritage ?

— L'argent qu'il m'a accordé ne sera jamais qu'un simple près. Je l'ai toujours considéré ainsi, et je ne suis pas prête de changer d'avis.

— Méfie-toi des grands principes, déclara Cathy. Ils ne mènent jamais bien loin.

— Peut-être as-tu raison, concéda Morna. Pourtant, accepter l'argent de Glen me donnerait l'impression de n'avoir été qu'une prostituée de luxe durant ces cinq années passées avec lui. Et ce n'est pas ainsi que j'envisageais notre relation.

Cathy lui lança un regard plein de compassion. Puis, avec un ton d'une infinie douceur, elle déclara :

— Tu as raison... Mais je sais qu'il t'a aimée lui aussi, à sa façon.

— Je t'en prie, ne parlons plus de Glen, soupira Morna. Dis-moi plutôt comment tu emploies l'énorme héritage qu'il t'a laissé.

Cathy rougit.

— Il me sert à améliorer le quotidien des enfants hospitalisés à Romit, reconnut-elle, embarrassée.

— Eh bien, ta décision ressemble fort à la mienne. J'ai décidé que l'argent de Glen profiterait aux enfants défavorisés. Tu vois, cesse donc de t'inquiéter. Je m'en sors très bien toute seule.

— Vraiment ? A première vue, on ne le dirait pas. Même un fripier refuserait de vendre les vêtements que tu portes. Sans parler de ta voiture ! C'est une véritable antiquité. Nick se fait un sang d'encre chaque fois que tu dois l'emprunter. Et que dire de tes maigres bénéfices ? Ils sont engloutis dans ton magasin !

Soudain confuse, Cathy se mordit la lèvre.

— Ne m'en veux pas, poursuivit-elle d'un air désolé. J'admire ta force de caractère. Tu restes inébranlable, fidèle à tes principes coûte que coûte. Seulement, je redoute que cette fois, tu ne le paies très cher.

— Je ne t'en veux pas, répondit Morna avec douceur. Tu fais tout ce qui est en ton pouvoir pour éviter à Nick la moindre source de tracas. Et je t'en suis extrêmement reconnaissante.

— Il ne s'agit pas que de Nick, souligna Cathy en la regardant droit dans les yeux. Moi aussi, je suis inquiète à ton sujet.

— Vos craintes sont infondées, lança Morna d'un ton léger. Ma situation est loin d'être abominable. Et mes goûts vestimentaires sont sans doute le seul sujet d'inquiétude valable me concernant. Que mes tenues soient souvent peu affriolantes, je te l'accorde bien volontiers. Je m'habille toujours dans des magasins tenus par des associations caritatives. Sur ce point au moins, j'espère recueillir ton approbation !

Un sourire éclaira le visage de Cathy. Pourtant, une certaine anxiété flottait encore dans son regard.

— C'est très généreux de ta part, acquiesça-t-elle. D'ailleurs, cette robe te va à ravir. Dans tes haillons, tu as l'air d'une véritable Cendrillon !

— Cendrillon ? répondit Morna d'un air amusé. Alors, vais-je enfin rencontrer mon prince charmant ?

D'un ton déterminé elle ajouta :

— Il est grand temps pour nous d'oublier le passé, tu ne crois pas ? Profiter de l'instant présent et faire confiance à l'avenir. Voilà ma nouvelle devise.

— Excellente idée ! D'ailleurs, la chance te sourit, chère Cendrillon. Retourne-toi vite, lui murmura Cathy à l'oreille.

Hawke Challenger se dirigeait vers elles d'un pas assuré. Il s'arrêta près de Morna. Ses yeux d'un vert si profond se posèrent sur elle tandis qu'un sourire désarmant se dessinait sur son visage.

Dieu merci ! Ses lunettes de soleil l'empêchaient de lire dans son regard, songea Morna avec soulagement.

— Vous rencontrer est toujours un immense plaisir, madame Harding, déclara Hawke Challenger à l'adresse de Cathy.

Sa voix possédait une sensualité inouïe. Un effrayant et délicieux frisson parcourut Morna de la tête aux pieds. Et dire que d'une seconde à l'autre, la bienséance exigerait qu'elle retire ses lunettes pour saluer cet homme ! Elle sentait l'angoisse monter en elle, inexorablement. Lui tendre la main était au-dessus de ses forces... Elle parvint à sourire tandis qu'il se tournait vers elle.

2.

Morna Vause n'était pas une femme d'une beauté classique. Son teint de porcelaine, son regard sombre et farouche, ses longues boucles noires aux reflets de feu, avaient immédiatement séduit Hawke.

Lorsqu'un sourire apparut sur les lèvres pulpeuses de la jeune femme, Hawke fut submergé par une onde de désir. Seigneur, cette femme fascinante l'intriguait terriblement...

Quel étrange tableau, songea-t-il en observant Cathy et Morna côte à côte. On dirait les meilleures amies du monde. Comment l'ex-maîtresse et l'ex-épouse de Glen pouvaient-elles s'entendre aussi bien ?

Bien qu'il eût horreur des ragots, seul un ermite aurait pu ignorer les histoires d'amour tumultueuses du très indiscret Glen Spencer. Morna avait reçu un dédommagement princier pour les cinq années qu'elle avait passées entre ses bras : personne ne pouvait l'ignorer. Et de toute évidence, cette femme savait s'y prendre pour parvenir à ses fins.

— Enchantée, monsieur Challenger, dit Morna Vause.

Chaque mot avait été prononcé d'un ton sec et distant.

— Je vous en prie, appelez-moi Hawke.

Pendant un instant, la jeune femme sembla hésiter.

— Enchantée, Hawke, finit-elle par prononcer d'une voix calme mais légèrement voilée.

— Morna... C'est un joli prénom. D'origine celte, il me semble ? Possède-t-il une signification particulière ?

Morna lui sourit avec froideur.

— D'après ma mère, cela veut dire « aimée ». Mais elle se trompait souvent.

Morna fronça les sourcils. Pourquoi diable se conduisait-elle comme une débutante ? Elle était furieuse de se sentir si mal à l'aise, si réservée. Réservée ? Cela faisait bien longtemps qu'elle ne l'avait pas été. Quand dès l'enfance on doit se battre pour survivre, la timidité fond comme neige au soleil.

— Et vous, votre prénom a-t-il un lien quelconque avec la baie de Hawke ? reprit-elle d'un ton plus assuré.

Un véritable coup de foudre, c'était ce qu'elle avait ressenti pour cet endroit superbe, où la chaleur l'avait presque anéantie. Les magnifiques vignobles et les maisons anciennes y possédaient un charme envoûtant.

Hawke Challenger l'observait à présent d'un air moqueur.

— Ma famille n'a absolument rien à voir avec cette baie, même si Hawke était le nom de jeune fille de ma mère. En fait, elle m'a donné ce prénom en souvenir de sa famille, dont elle reste l'unique descendante.

Décidément, cet homme arrogant agaçait Morna au plus haut point. Tout comme cette conversation d'ailleurs. Disserter sur les noms et les origines lui déplaisait profondément : elle était née dans le dénuement complet et elle ne connaissait même pas le nom de son père.

Hawke plissa le front. Certes, les lunettes de soleil

dissimulaient le regard de la jeune femme, mais elle venait de lever le menton d'un air de défi. Sans qu'elle en eût conscience, son attitude la trahissait. Tout comme sa bouche gourmande révélait une profonde sensualité. Au fond, Hawke était surpris. Car la femme qui se trouvait devant lui correspondait fort peu à ce qu'on disait d'elle.

Pour autant, elle ne semblait pas être esclave de sa troublante sensualité. Bien au contraire ! Cet atout majeur, elle devait savoir l'utiliser avec une habileté parfaite, il en était persuadé. Tout comme il était certain que cette femme au regard impénétrable ne représentait certainement pas une proie facile.

Mais il se sentait irrésistiblement attiré par elle. Et après ? Cette émotion, ne l'avait-il pas souvent ressentie par le passé ? Jamais avec une telle intensité...

Une autre chose déconcertait Hawke : jamais une femme n'avait affiché une telle indifférence à son égard.

Il lui sourit. Le visage de Morna resta de marbre, mais Hawke vit ses joues s'empourprer légèrement.

A présent, il était sûr qu'elle aussi était sensible à son charme. Même si, visiblement, elle tentait de s'en défendre avec détermination.

Cathy engagea de nouveau la conversation, sans doute dans l'espoir de détendre l'atmosphère.

Mais soudain, le nom de Hawke retentit à travers un haut-parleur. On lui demandait de venir remettre les prix aux vainqueurs du concours.

— Mesdames, vous voudrez bien m'excuser, s'empressa-t-il de déclarer.

Ignorant Morna, toujours silencieuse, Hawke se tourna vers Cathy :

— J'espère que Nick et vous serez des nôtres à la réception donnée ce soir, après le concours.

— Oui, bien sûr. Avec joie, répondit Cathy.

Puis, il s'adressa à Morna en la regardant droit dans les yeux.

— Vous nous ferez le plaisir de vous joindre à nous, n'est-ce pas ?

Sans attendre de réponse, il fendit la foule en direction de la tribune d'honneur.

— Eh bien ! s'écria Cathy. Quelle invitation !

— Si c'est ainsi qu'il croit m'impressionner ! rétorqua Morna d'un air furibond.

— Ne monte pas sur tes grands chevaux ! Vous allez être voisins, après tout. Voilà une excellente occasion de faire connaissance.

— De quoi parlez-vous ? demanda soudain une voix derrière elles.

Un large sourire illumina aussitôt le visage de Cathy tandis qu'elle pivotait sur ses talons.

— De Hawke Challenger, mon chéri, répondit-elle à Nick avec des yeux remplis d'amour.

Soudain, Morna sentit un élan de jalousie lui transpercer le cœur. Pourrait-elle, un jour, aimer de nouveau un homme avec une telle passion ? Il faudrait un miracle, songea-t-elle avec amertume.

Du coin de l'œil, Morna vit Hawke Challenger remettre une imposante coupe d'argent à une superbe jeune femme propriétaire d'un magnifique cheval de course. Mince et élancée, la cavalière révéla une éclatante chevelure blonde lorsqu'elle ôta son casque pour embrasser Hawke. Celui-ci, sous les applaudissements de la foule, se pencha vers elle pour lui glisser un mot à l'oreille. Le rire cristallin de la jeune femme parvint jusqu'à eux.

— Alors ? Comment le trouves-tu ? demanda Nick en se tournant vers Morna.

— Il est homosexuel, j'en mettrais ma main au feu, répliqua Morna d'un air effronté.

— Il faut croire que personne n'en a averti cette malheureuse actrice, rétorqua Cathy avec un sourire en coin. Ils viennent juste de rompre. D'ailleurs, elle semble avoir du mal à s'en remettre. La pauvre...

— Depuis combien de temps étaient-ils ensemble ? ne put s'empêcher de demander Morna.

— Ils n'ont jamais vécu ensemble à proprement parler, expliqua Cathy. Je crois que leur liaison a duré six mois environ. Mais Nick en sait sûrement plus que moi.

— Excellente famille, ajouta Nick en haussant les épaules. Parmi les plus anciennes et les plus fortunées du pays. Parfaite éducation. Je ne peux pas en dire davantage, si ce n'est que Hawke est un redoutable homme d'affaires, sans pitié pour ceux qui osent se mettre en travers de son chemin.

Morna ôta nonchalamment ses lunettes de soleil.

— Merci de m'avoir prévenue, dit-elle d'un air dégagé. Pour rien au monde je ne me mettrai en travers de sa route. D'ailleurs, je n'ai aucune envie de m'intéresser à lui, même si ta femme pense que c'est un tort.

Nick lança à Cathy un regard étonné.

— J'ai seulement dit qu'une jeune femme doit se distraire un peu et ne pas passer tout son temps à travailler, déclara Cathy d'un air confus.

Devant le sourire en coin de Morna, elle éclata de rire avant d'ajouter :

— Bon, d'accord. J'avoue avoir fait l'éloge de Hawke. Je voudrais tant que tous ceux que j'aime soient aussi heureux que moi ! Cependant, Morna, je dois te mettre en garde. Celles qui ont voulu se jouer de Hawke s'y sont brûlé les ailes.

Avec calme, Morna remit ses lunettes de soleil sur son nez.

— Voyez-vous ça... De toute façon, les play-boys ne m'attirent vraiment pas. Ce sont les hommes mûrs qui m'intéressent.

— De quels hommes parles-tu ? rétorqua Cathy. Depuis des années, nous ne te connaissons pas une seule aventure.

A présent, Hawke offrait une ravissante coupe à un enfant monté sur un joli poney noir et blanc.

— L'immaturité n'est certainement pas ce qui caractérise Hawke, reprit Cathy. Et il ressemble encore moins à un play-boy sans cervelle. D'ailleurs, je doute fort qu'il se laisse un jour manipuler par une femme.

Soudain, Morna sentit monter en elle une intense émotion.

— Raison de plus pour me tenir à distance, dit-elle d'un air dégagé. J'aime trop ma précieuse tranquillité.

Son moteur toussant bruyamment, la vieille guimbarde monta péniblement la côte. Enfin, elle franchit victorieusement le dernier virage.

— Bravo ! Je savais bien que tu pouvais y arriver, s'exclama Morna d'un ton affectueux, tandis qu'elle tournait dans une allée bordée de majestueux arbres centenaires.

Le gravier crissait sous les pneus de la vieille voiture, qui alla bientôt s'arrêter devant la petite maison pleine d'un charme si particulier. Morna aimait la comparer à une pierre précieuse mal taillée, insérée sur une monture d'une exceptionnelle beauté.

Elle venait de passer l'après-midi à travailler dans l'atelier attenant à sa bijouterie. Heureusement qu'elle avait pu y installer des machines extrêmement perfectionnées, car le défi à relever s'était révélé de taille. Comme le montraient d'ailleurs ses doigts, encore maculés du rouge que les bijoutiers utilisent pour polir leurs créations. Elle avait dû transformer un simple collier de diamant en un bijou raffiné d'une splendeur étincelante. Et elle y était parvenue au-delà de ses espérances.

Morna avait ressenti un profond plaisir à concevoir et à réaliser une telle merveille.

Puis, après avoir fait quelques courses, elle était passée en coup de vent chez Nick et Cathy pour prendre le thé en leur compagnie. Mais elle avait refusé leur invitation à dîner.

A présent, Morna s'apprêtait à savourer un repos bien mérité dans ce petit coin de paradis, à l'ombre fraîche d'arbres superbes.

Eblouie par le soleil, elle ne distingua pas tout de suite l'imposante Range Rover garée juste en face de chez elle. C'était le genre de véhicule capable de venir à bout de n'importe quel obstacle rencontré sur sa route.

Appuyé nonchalamment contre la portière, comme s'il se trouvait en pays conquis, se tenait Hawke Challenger.

De nouveau, Morna fut frappée par sa haute stature, son air calme et assuré, l'épaisseur de ses cheveux noirs dont les reflets bleutés apparaissaient sous le soleil encore chaud en cet après-midi d'automne.

La gorge sèche, Morna cligna des yeux à plusieurs reprises avant de prendre conscience qu'elle était sur le point de verser dans le fossé.

Quelle barbe ! Il ne manquait plus que lui ! songea-t-elle avec une profonde irritation.

Les doigts crispés sur le volant, Morna arrêta la voiture

à la hauteur de Hawke. Puis, elle coupa le moteur et descendit la vitre.

— Bonjour, lança-t-elle avec froideur.

Elle vit une lueur moqueuse scintiller dans les yeux de Hawke. Comment un homme pouvait-il se montrer à ce point exaspérant ?

Hawke sentit que Morna était en colère. Mais s'il avait été moins attentif, il ne l'aurait peut-être pas remarqué. Son instinct lui disait de ne pas se fier à l'indifférence qu'elle affichait, à son regard calme. Il sentait que la froideur de la jeune femme cachait un tempérament de feu.

Soudain, une vague de désir le submergea, et il dut faire appel à toute sa volonté pour rester maître de lui-même.

— Vous n'avez pas assisté au dîner, hier soir, dit-il.

— Vous ne vous attendiez tout de même pas à ce que je vienne !

— Au contraire, j'espérais vous y retrouver. Bien que l'invitation eût été tardive, elle n'en était pas moins sincère.

Hawke remarqua que la main de Morna s'était crispée sur le volant. Mais sur son visage, seule une expression de léger étonnement était perceptible.

— Dans ce cas, pourquoi n'avez-vous pas pris la peine d'attendre ma réponse ? demanda-t-elle.

Hawke hésita quelques instants.

— Parce que... parce que vous me troublez terriblement, répondit-il.

Il sentit que sa franchise avait désarçonné Morna, qui rougit et détourna le regard. Pourtant, se dit-il, elle avait déjà connu l'amour. Etait-elle en train de jouer les ingénues ?

Après quelques secondes de silence, Morna finit par déclarer d'un ton sec :

30

— Ce que vous ressentez n'est rien d'autre que du désir. Un petit tour que nous joue la nature afin d'assurer la survie de l'espèce. N'y prêtez aucune attention, et ça passera tout seul.

Eh bien, se dit Hawke, ces paroles n'étaient pas celles d'une ingénue !

Hawke s'approcha de la voiture de Morna et ouvrit la portière. Comme si elle obéissait à cet ordre silencieux, la jeune femme sortit en lui jetant un regard interrogateur. Il eut le temps d'admirer ses longues jambes fines, moulées dans un pantalon de cuir noir. Son air de défi contrastait étrangement avec son corsage très féminin, dont le profond décolleté laissait deviner la naissance de ses seins.

Morna Vause envoyait des messages bien contradictoires, pensa Hawke avec un certain cynisme.

Il observa le visage impassible de la jeune femme. La première fois qu'il avait posé son regard sur elle, un désir intense s'était emparé de lui. Et à présent, il ressentait la même chose. Pour tout dire, son attitude distante et hautaine l'intriguait et le frustrait terriblement.

Depuis l'adolescence, Hawke avait compris qu'il plaisait beaucoup aux femmes. Pour autant il n'avait jamais connu d'aventure sans éprouver des sentiments, et du respect. D'ailleurs, il s'était toujours montré très exigeant dans le choix de ses conquêtes.

Pour la première fois, il rencontrait une femme pour qui la méfiance semblait être devenue une seconde nature. Mais n'était-ce pas précisément cela qui l'avait séduit ?

Il s'approcha d'elle pour l'empêcher de s'éloigner de la voiture.

Aussitôt, Morna se figea. Rien ne bougeait dans son visage, mais Hawke vit son regard s'assombrir. Pourquoi cette incroyable méfiance ? Vraiment, cette femme demeurait un mystère pour lui.

— Me pardonnerez-vous mon invitation quelque peu hâtive d'hier ? demanda-t-il.

— Bien entendu, répondit Morna d'un ton laconique.

— Alors, serrons-nous la main pour enterrer la hache de guerre.

La jeune femme resta silencieuse, et laissa sa main fermement appuyée sur la carrosserie de la voiture. Hawke sentait qu'entre eux, l'atmosphère devenait de plus en plus tendue. De toute évidence, un sourire poli serait tout ce qu'il obtiendrait d'elle... Une telle froideur, c'était plus qu'il n'en pouvait supporter. Oubliant les règles les plus élémentaires de la courtoisie, Hawke lui tendit la main.

Après un moment d'hésitation, Morna lui tendit la sienne à contrecœur.

Hawke nota que ses longs doigts fins tremblèrent légèrement lorsqu'il les serra. Et de nouveau, il fut envahi par une vague de désir d'une incroyable violence. Son sang-froid et son esprit logique furent balayés en un clin d'œil. Hawke était stupéfait. Comment pouvait-il se laisser dominer ainsi par ses instincts les plus primaires ?

La poitrine haletante de Morna, pointée vers lui, laissait deviner le trouble qu'elle ressentait. Ainsi, ce qu'elle ressentait n'était pas de la méfiance... C'était du désir.

Une émotion d'une force aussi effrayante qu'inattendue monta en lui. Pour la première fois de sa vie, il comprenait qu'un homme pouvait devenir fou de désir pour une femme.

Sans réfléchir, il porta à ses lèvres la main tremblante de Morna.

La jeune femme tenta de la retirer, mais il la retint avec douceur.

32

— Non… Je vous en prie, murmura Morna d'une voix tendue.

Pendant un long moment, Hawke maintint la main de Morna dans la sienne. Puis, son regard s'arrêta sur la bouche pulpeuse et entrouverte de cette femme si désirable.

A travers son esprit embrumé, une idée claire surgit soudain : il fallait tout arrêter. Et tout de suite. Il était bien trop tôt pour aller plus loin. Sans compter qu'il venait d'apprendre des choses assez déconcertantes sur Morna…

Relâcher son étreinte s'avéra presque au-dessus de ses forces, et Hawke ressentit une colère mêlée d'effroi : comment pouvait-il se montrer si faible et vulnérable ?

Morna frissonna, sur le point de défaillir. Hawke passa alors promptement les mains autour de sa taille pour la soutenir.

— Ça suffit. Laissez-moi tranquille, dit-elle dans un souffle.

La colère qu'elle sentait monter en elle lui donna assez d'énergie pour ajouter d'un ton déterminé :

— Les aventures d'un soir ne sont pas dans mes habitudes. Sachez-le !

Hawke lui jeta un regard noir avant de rétorquer :

— Je suis ravi de constater que nous sommes parfaitement d'accord.

— Très bien, répliqua-t-elle d'un ton cassant, tout en levant le menton d'un air de défi.

— Ces taches sur vos mains, d'où proviennent-elles ?

Tout d'abord, Morna fut incapable de saisir le sens de ses paroles. Le combat qui se livrait en elle troublait profondément son esprit. Déchirée entre colère et fascination, elle se sentait totalement désemparée. Elle regarda ses mains et finit par comprendre.

— Oh... Il s'agit du rouge qu'on utilise en joaillerie. Je reviens juste du travail... Mais ne vous inquiétez pas, cela ne tache pas. Vous n'en aurez ni sur les mains, ni sur le visage... A présent, au revoir.

Elle tourna les talons et alla sortir les sacs à provisions du coffre de sa voiture.

Lorsque Hawke lui prit le sac le plus lourd des mains, Morna le laissa faire. Protester aurait été ridicule. Mais elle garda l'autre sac contre sa poitrine, comme s'il avait pu lui servir de bouclier.

Alors qu'ils se dirigeaient vers la porte d'entrée de bois brut, Hawke demanda d'un ton neutre :

— Combien de temps comptez-vous rester ici ?

— Jusqu'à ce que je décide de partir ailleurs, répondit-elle en lui lançant un regard noir.

De quel droit se permettait-il de se montrer aussi indiscret ? Vraiment, cet homme représentait un terrible danger. Et sur ce point, son instinct la trompait rarement...

Morna se tenait sur le qui-vive. Qu'allait-il encore oser lui demander ?

Ils atteignaient la porte d'entrée lorsque Hawke ajouta :

— Ne croyez-vous pas qu'une réponse plus honnête aurait été : « Je partirai quand la maison sera vendue » ?

— C'est possible, répondit Morna d'un ton qu'elle aurait souhaité moins hésitant.

Hawke perçut immédiatement la réserve dans la voix de la jeune femme.

— On dit que Jacob Ward est mort ici, reprit-il. Seulement une quinzaine de jours après votre installation chez lui.

Morna le regarda droit dans les yeux. Comment osait-il lui demander, même à demi-mot, des comptes sur ce qui avait été une magnifique histoire d'amitié ?

Vieil homme au cœur fragile, Jacob avait passé les

dernières années de sa vie à pleurer la mort de son fils unique. Seul au monde, il avait perdu peu à peu le goût de vivre. Morna prenait le thé avec lui quand une crise cardiaque l'avait soudain terrassé. Profondément choquée et peinée, elle avait vécu cette mort brutale comme une épreuve extrêmement pénible. Et maintenant, il fallait qu'elle se justifie face à cet individu sans scrupules !

— Eh bien, oui, répliqua Morna d'un ton posé. Quand Jacob a décidé d'entrer en maison de retraite, il m'a loué sa demeure. A une condition : il voulait que je l'y ramène une fois par semaine.

Hawke ne disait pas un mot. Mais Morna devinait ce qu'il était en train de penser.

Elle leva le menton d'un air de défi. Ces insinuations muettes de la part de Hawke représentaient une insupportable offense à la mémoire de son cher Jacob.

Cet homme extraordinaire avait passé sa vie entière à sillonner le monde, à la recherche de sublimes pierres précieuses. Mais l'âge venant, la nostalgie de sa terre natale s'était emparée de lui. Il était donc revenu s'installer en Nouvelle-Zélande. Mais sans famille, il s'y était senti très seul.

Jusqu'au jour où il était entré dans la bijouterie de Morna. Il y avait été reçu par Annie, son assistante. Celle-ci avait été si fascinée par le vieil homme et par son extraordinaire connaissance de la joaillerie, qu'elle n'avait pas hésité à interrompre Morna qui travaillait dans l'atelier voisin.

Morna et Jacob avaient en commun leur amour pour les pierres précieuses, pour la part de rêve et de mystère qu'elles véhiculaient. Le vieil homme lui avait raconté avec bonheur ses incroyables aventures, aux quatre coins du monde.

Il appréciait beaucoup le travail de Morna. Pour le seul plaisir de la regarder travailler, il passait souvent des heures avec elle dans son atelier. Au fil du temps, une profonde amitié était née entre eux. Et parce qu'il n'avait pas d'héritier, il lui avait légué Tarika Bay. Mais Morna savait que suite à cet héritage, d'odieuses rumeurs avaient circulé sur leur relation.

A l'évidence, elles étaient parvenues jusqu'aux oreilles de Hawke... Et il semblait prêt à croire de telles horreurs.

— Si j'invite les Harding, accepteriez-vous une invitation à dîner, demain soir, dans mon club de vacances ? demanda soudain Hawke.

Prise au dépourvu, Morna se raidit. Elle sentit sa gorge se serrer et son cœur battre follement dans sa poitrine. Ses jambes faillirent se dérober sous elle lorsque Hawke lui adressa un éclatant et irrésistible sourire.

— Ce n'est pas une bonne idée, affirma-t-elle d'un ton mal assuré.

— Pourquoi donc ? J'en ai déjà fait part aux Harding, et ils sont ravis.

— Ils dînent *de nouveau* avec vous ! C'est étrange, non ? répliqua-t-elle d'un ton sec.

Morna se sentait gagnée par la colère. Mais contre Cathy cette fois... Car la jeune femme n'était sûrement pas étrangère à cette troublante invitation. Ah, Cathy et ses bonnes intentions !

— Pourquoi serait-ce étrange ? reprit Hawke d'un ton nonchalant. La nuit dernière, il ne s'agissait pas d'un dîner privé. Et puis, ils ne font pas partie de ces gens qui considèrent une invitation comme une insulte ou comme un guet-apens.

— Et qu'est-ce qui vous permet de croire que j'ai peur de vous ?

— Morna, pourquoi faire semblant d'ignorer le désir qui nous pousse l'un vers l'autre ? C'est inutile... Mais demain, c'est comme voisin que je vous invite à vous joindre à nous. Puisque nous habitons si près l'un de l'autre, il me semble normal que nous fassions plus ample connaissance. Ne croyez-vous pas ?

Morna hésitait. Visiblement, il ne s'agissait pas d'un dîner romantique. Alors, pourquoi refuser ? Mais une crainte étrange surgit soudain en elle... Et si Hawke trouvait sa conversation ennuyeuse, lors de ce dîner ? Alors, tout serait à jamais fini entre eux...

Devant le silence de Morna, il ajouta d'une voix incroyablement sensuelle :

— Je puis vous assurer que Cathy et Nick joueront à merveille leur rôle de chaperons. Vous pouvez venir sans crainte.

En levant la tête, Morna vit le sourire de Hawke, ce sourire si irrésistible... De toute évidence, il était parfaitement conscient du trouble intense qu'elle ressentait.

— C'est d'accord, je viendrai, murmura Morna.

A peine eut-elle prononcé ces paroles qu'elle les regretta. Comment s'était-elle laissé vaincre avec une telle facilité ? N'avait-elle donc rien appris de sa douloureuse relation avec Glen ?

Et elle se jura bien de s'en souvenir le lendemain soir, lorsqu'elle se rendrait chez Hawke.

Morna sirota une autre gorgée de ce merveilleux riesling. C'était le seul verre d'alcool qu'elle s'était accordé au cours de ce somptueux dîner, car elle tenait à garder la tête froide.

Ainsi, Hawke Challenger habitait dans le luxueux club

de vacances qu'il avait lui-même créé... Excellent choix pour un célibataire aussi convoité, songea-t-elle avec un cynisme un peu forcé. Dans la splendide et vaste salle à manger du complexe, les jeunes femmes solitaires et les épouses délaissées par leurs maris ne cessaient de dévorer Hawke et Nick du regard. Morna ressentait une certaine compassion envers elles, tout en les observant du coin de l'œil.

Grands, bruns, le profil grec, des corps d'athlètes... les hommes répondant à ces critères étaient aussi rares que les diamants noirs. Et hormis à Hollywood, il n'était pas fréquent d'en rencontrer deux assis à la même table.

Soudain, à la seule pensée de voir Hawke au bras d'une autre femme, Morna sentit une insupportable douleur au creux de l'estomac. Seigneur, elle n'aurait jamais dû accepter cette invitation... A présent, elle en était absolument certaine.

Depuis le salon de danse, situé dans la pièce voisine, filtrait une musique envoûtante, et une irrésistible envie de danser s'empara de la jeune femme. Déjà, elle s'imaginait en train d'évoluer sur la piste entre les bras de Hawke...

Décidément, elle ne pouvait pas se faire confiance. Elle devait à tout prix cesser d'être aussi romantique et mieux contrôler ses émotions.

— Vous voudrez bien m'excuser un instant, dit Morna en se levant brusquement.

Elle se dirigea vers les toilettes où, par miracle, elle ne rencontra personne. Après s'être légèrement remaquillée, Morna ajusta rapidement son bustier blanc et sa jupe portefeuille de soie noire, qui laissait apparaître ses jambes. Elle prit une profonde inspiration avant de quitter la pièce pour rejoindre sa table.

Mais au passage, elle fut interpellée par un homme d'âge mûr que Nick lui avait présenté au concours agricole.

— Ravi de vous rencontrer de nouveau, mademoiselle Vause, dit l'homme en lui serrant la main avec chaleur. Avez-vous apprécié les splendides spécimens que nous élevons dans la région ?

— Oui, j'ai passé un moment très agréable hier, répondit Morna avec un sourire. Je dois dire que vos bêtes étaient d'une beauté exceptionnelle. De quelle race s'agissait-il ?

Soudain, Morna sentit que quelqu'un s'approchait d'eux. Sans même se retourner, elle sut d'instinct qu'il s'agissait de Hawke. Personne d'autre ne provoquait en elle un tel mélange de désir et d'appréhension.

L'interlocuteur de Morna répondit à la question qu'elle venait de poser, mais elle l'entendit à peine. Puis il se tourna vers Hawke avant d'ajouter d'un air enjoué :

— Bonsoir, mon cher Hawke. Comme toujours, c'est vous qui escortez la plus belle femme de la soirée.

3.

Hawke sourit et se tourna vers Morna. Son sourire, tout en étant courtois, révélait toute l'intensité du désir qu'il éprouvait pour elle.

— Je constate qu'il ne vous aura pas fallu longtemps pour la remarquer, répliqua Hawke.

— Oui, et je m'incline volontiers devant un adversaire tel que vous, répondit en riant l'homme d'âge mûr.

— Vous nous quittez déjà ? demanda Morna avec empressement, en le voyant sur le point de prendre congé.

Elle se sentait de plus en plus crispée.

— Croyez-moi, vous passerez de bien meilleurs moments en compagnie de Hawke plutôt qu'avec un vieil ours comme moi ! A présent, vous voudrez bien m'excuser, je vais aller prendre un verre de cognac en compagnie de mon cher ami Brian : nous devons parler affaires.

Il leur adressa un large sourire avant de s'éclipser.

— Ce lieu est vraiment splendide, Hawke ! s'exclama alors Morna avec une amabilité si appuyée qu'elle en était insultante.

Le sourire de Hawke s'évanouit.

— Merci, répondit-il avec froideur.

L'orchestre entamait un nouvel air, et il offrit son bras à la jeune femme.

— Cathy et Nick se trouvent déjà sur la piste de danse. Voulez-vous que nous les y rejoignions ?

Morna perçut un ton de défi dans sa voix. De toute évidence, il espérait qu'elle allait refuser sa proposition.

— Non. Je vous remercie. Pas ce soir.

— Eh bien, attendons-les en prenant un café.

Elle acquiesça d'un signe de la tête.

Lorsqu'ils pénétrèrent dans la salle de danse, Morna remarqua les superbes tables basses en marbre rose et les sièges tapissés, disposés en cercle autour de la piste. Hawke commanda deux cafés tandis qu'elle admirait Nick et Cathy qui évoluaient gracieusement sur la piste, comme entourés d'une aura de bonheur.

Emue par un tel spectacle, Morna détourna les yeux. Pour lutter contre son émotion, elle laissa vagabonder son regard sur la magnifique décoration de la pièce. Les murs lambrissés de bois clair et les tentures en tissu naturel offraient une palette de crème, de beige et d'ivoire dont le luxe raffiné correspondait aux goûts sophistiqués d'une clientèle huppée.

— Qu'est-ce qui vous a poussé à construire ici un club de vacances et un parcours de golf ? finit-elle par demander à Hawke.

— C'était le lieu idéal, affirma-t-il avec cette inébranlable confiance en lui qui agaçait tant Morna. C'est un endroit calme, à deux pas d'Auckland, la vue y est superbe et la nature a gardé son aspect sauvage. Que peut-on rêver de mieux ? Et puis, la terre n'est pratiquement plus cultivable ici. Il s'agit de vieux marais asséchés depuis cinquante ans, sur lesquels ne poussent plus que des broussailles.

Morna éclata de rire.

— L'homme de la terre a parlé ! s'exclama-t-elle. Si

un sol ne produit pas une herbe verte et tendre, c'est qu'il s'agit d'un désert.

Pendant une seconde, ils se défièrent du regard. Puis, Hawke se laissa aller en arrière contre le dossier de son fauteuil.

— Mais oui, je suis un fermier.

Il lui jeta un regard si intense que Morna sentit son cœur s'emballer. Après un court silence, Hawke ajouta :

— Vous avez quelque chose contre l'agriculture ?

— Pas le moins du monde, répliqua Morna, profondément troublée.

De toute évidence, il s'agissait pour Hawke d'un simple jeu de séduction. Et à ce jeu, il était passé maître. Surtout auprès des femmes à la sensibilité exacerbée !

— Comme tout le monde, j'apprécie une nourriture saine et variée, reprit-elle. Et sans le travail des fermiers, c'est un plaisir que je ne pourrais pas m'offrir.

Guidée par son instinct, Morna sentit qu'elle devait rester particulièrement attentive aux paroles que Hawke allait prononcer.

— Certains terrains n'auraient jamais dû être déboisés, déclara-t-il avec conviction. Et j'ai l'intention de rétablir la végétation originelle dans plusieurs endroits de ma propriété.

Hawke Challenger, protecteur de la nature ! Voilà bien une chose à laquelle Morna ne s'attendait pas ! Aussitôt, elle se sentit irritée à la pensée de devoir lui reconnaître la moindre qualité.

— Vous ne vous habillez jamais autrement qu'en blanc et en noir, Morna ?

— Absolument pas, rétorqua-t-elle d'un ton sec, surprise par ce brusque changement de sujet. Mais il se trouve que ces couleurs sont fréquemment vendues dans les magasins de vêtements où j'ai l'habitude de me rendre. Puis, la plupart des femmes d'affaires choisissent des tenues aux tons très classiques. De plus, je trouve que le blanc et le noir mettent le teint en valeur.

— C'est on ne peut plus vrai, reconnut Hawke en haussant les sourcils.

Il se tut quelques secondes avant de poursuivre.

— Dernièrement, j'ai lu un article très élogieux à votre sujet. Il semble que vous apportiez à la joaillerie des idées novatrices qui suscitent la plus grande admiration.

Morna ne put s'empêcher de redresser les épaules avec une certaine fierté.

— Oui, j'ai été ravie de constater que mon travail semblait toucher les connaisseurs.

— L'occasion m'a été donnée d'admirer une partie de vos créations. Et j'ai été littéralement ébloui.

A ces mots, Morna sentit une joie d'une dangereuse intensité s'emparer d'elle. Mais Hawke gâcha tout son plaisir en ajoutant :

— Vous avez parcouru beaucoup de chemin en peu de temps. Et pourtant, on peut dire que vous êtes partie de loin !

Morna se raidit.

— Merci, prononça-t-elle d'un ton froid et poli.

Un article récemment paru dans la presse économique insinuait que Morna devait la réussite de son entreprise à deux hommes fortunés : Glen et Nick. Il avait fallu que son frère adoptif fasse usage de tout son pouvoir pour que ce mensonge éhonté soit mollement démenti par le journal. Mais le mal était fait. Et les dénégations furieuses de Morna n'avaient servi à rien : à présent, nombreux étaient ceux qui voyaient en elle une intrigante sans scrupules.

Le regard dur de Hawke indiquait clairement qu'il

faisait partie de ceux-là. Pour une obscure raison, Morna sentit son cœur se serrer. Décidément, cet homme semblait posséder sur elle un étrange pouvoir...

Lorsque la musique s'arrêta, Cathy et Nick, le visage rayonnant de bonheur, les rejoignirent et se mirent à discuter avec Hawke. Morna en ressentit un profond soulagement : pendant quelques instants, elle allait enfin pouvoir se détendre.

Lorsque Hawke emmena à son tour Cathy danser, Morna se laissa aller contre le dossier de son fauteuil, avec un air d'indifférence affectée.

Sur la piste, Hawke et Cathy formaient un couple magnifique. Lui, grand et protecteur. Elle, gracieuse et délicate entre ses bras.

— Inutile de les regarder d'un air aussi farouche, déclara Nick. Il ne s'intéresse pas du tout à Cathy.

— Je me moque bien de savoir à quelle femme Hawke s'intéresse, répliqua Morna, l'air renfrogné.

En lui souriant, Nick se leva et la prit par la main pour l'inviter à danser. Morna le suivit, comme elle l'avait fait si souvent par le passé.

Sur la piste, son regard croisa soudain celui de Hawke, et elle comprit qu'elle n'aurait plus aucune excuse pour refuser de danser avec lui. Pourquoi donc n'y avait-elle pas pensé plus tôt ? Malgré elle, un juron lui échappa.

— Je croyais que tu avais banni ce genre de mots de ton vocabulaire, observa Nick en souriant.

— C'est juste, répondit Morna d'un air sombre. Et moi, je croyais que tu ne tomberais jamais amoureux. Que s'est-il passé ?

— C'est simple, je n'ai pas pu m'en empêcher.

Ils évoluaient dans un parfait accord au rythme de la

44

musique. Rien d'étonnant à cela, puisqu'ils avaient appris à danser ensemble.

Morna secoua la tête en grimaçant.

— Ce que tu dis là me glace le sang !

— C'est seulement effrayant au début, rétorqua Nick en riant. Au fait, pourrais-tu me dire ce qui se passe entre toi et Hawke ?

— Mais absolument rien.

— Ah bon ? A mon avis, il aimerait bien t'inscrire sur la liste de ses conquêtes.

Morna frémit malgré elle.

— Qu'il se sente ou non attiré par moi est vraiment le cadet de mes soucis. Je ne suis pas prête à tomber entre ses griffes, crois-moi !

— Le jeu du chat et de la souris… est-ce seulement ainsi que tu envisages les relations amoureuses ? demanda Nick d'un ton calme.

Morna haussa les épaules.

— Non, pas *toutes* les relations. Quand je vous observe, Cathy et toi, j'ai l'impression de voir un conte de fées se réaliser.

— Oui, parfois les miracles arrivent. Il suffit d'y croire et de savoir faire confiance, dit Nick avec conviction.

— C'est bien là le problème. Il me semble que plus jamais je n'aurai envie d'aimer un homme ou de lui faire confiance.

— Attention, Morna, parler d'envie représente déjà un premier pas ! répliqua Nick d'un ton taquin. Tu sais, il arrive qu'on ne puisse pas faire autrement que d'aimer. Même si pour ça il faut accepter de se mettre en danger.

Ils restèrent un moment silencieux. La musique était sur le point de s'arrêter lorsque Nick jeta un regard en direction de Cathy. Il fronça les sourcils d'un air soucieux.

— Il est grand temps que je ramène ma femme à la maison.

En effet, Cathy affichait à présent un sourire poli et un peu forcé. Se sentait-elle mal ? se demanda Morna. Bien que pâle, l'épouse de Nick éclata de rire lorsque Hawke, qui la raccompagnait à son fauteuil, lui chuchota quelque chose à l'oreille.

Mais soudain, Morna vit Hawke se raidir en apercevant un individu qui se tenait discrètement à quelques pas de lui. Hawke s'approcha et les deux hommes échangèrent quelques mots.

Lorsque Morna et Nick rejoignirent à leur tour leurs fauteuils, Hawke se contenta de déclarer :

— Je dois régler un léger problème. Je vous prie de m'excuser quelques instants.

Nick le regarda s'éloigner puis se tourna vers Cathy.

— Comment te sens-tu ? demanda-t-il d'un ton inquiet, un ton que Morna ne lui connaissait pas.

— Je vais bien, répondit la jeune femme avec un doux sourire.

— Rentrons quand même à la maison.

Ils échangèrent un regard d'une si profonde tendresse que Morna en fut profondément troublée. Et soudain, elle comprit la signification de tous ces petits détails qui l'avaient étonnée. Le jus d'orange que Cathy s'était contentée de boire pendant tout le dîner, son visage qui irradiait de bonheur et le comportement plus que jamais protecteur de Nick... Ils allaient avoir un bébé, cela ne faisait aucun doute.

— Nous ne pouvons décemment pas partir avant le retour de Hawke, protesta Cathy avec douceur.

Puis, la jeune femme se tourna vers Morna.

— Cette soirée t'a-t-elle fait changer d'avis à son sujet ? demanda-t-elle d'un ton espiègle.

— Pas du tout, répliqua Morna. Il est trop arrogant et bien trop sûr de lui à mon goût.

Pourtant, elle se sentit infiniment soulagée lorsque Cathy cessa de la taquiner au sujet de Hawke pour discuter avec Nick de leurs futures vacances à Hawaii.

Au bout d'une dizaine de minutes, Hawke réapparut dans la pièce, se déplaçant d'une démarche souple et féline.

Quand il fut près d'eux, Cathy le remercia pour la superbe soirée qu'ils venaient de passer en sa compagnie. Alors, Morna vit apparaître sur les lèvres de Hawke ce sourire irrésistible qui la troublait si profondément. Pour lutter contre l'émotion, elle se leva précipitamment. Il fallait qu'elle parte d'ici au plus vite. Sans oser regarder Hawke en face, elle s'efforça de déclarer d'un ton neutre :

— Il est grand temps que je m'éclipse aussi. Merci pour cette excellente soirée.

Il pinça les lèvres et son regard se fit plus sombre.

— Je vous raccompagne jusqu'à votre voiture, Morna.

Il la saisit par le coude, avant de l'entraîner malgré elle vers la porte.

— Vous ne devriez pas vous donner cette peine, protesta Morna avec une colère contenue. Nick est là. Et puis, je suis certaine d'être en sécurité, ici.

— Nick doit s'occuper de sa femme, fit remarquer Hawke. Quant à la sécurité, on ne sait jamais ce qui peut arriver. Vous pourriez être attaquée par une mouette…

Morna laissa échapper un petit rire.

— Ou un crabe carnivore, qui sait ? rétorqua-t-elle.

— Bien sûr. Pourquoi n'y avais-je pas pensé ?

Hawke adressa un signe de tête au portier, avant d'escorter Morna à travers la nuit chaude et humide. Les étoiles scintillaient au-dessus de leurs têtes. Les lèvres serrées, la jeune femme tentait de maîtriser la fébrilité grandissante qui l'envahissait, et qui la faisait se sentir audacieuse et vulnérable à la fois.

Lorsqu'elle avait rencontré Glen, elle n'avait pas ressenti pour lui un tel désir. Cette fois, c'était différent. Un trouble profond l'envahissait peu à peu sous l'influence des étoiles, de l'air marin et du parfum capiteux des fleurs. Mais le contact de la main de Hawke, posée sur son bras, l'enivrait par-dessus tout.

De toutes ses forces, Morna tenta de repousser l'irrésistible tentation qui montait en elle.

Tomber amoureuse de Glen ne lui avait-il pas servi de leçon ? Voulait-elle de nouveau être trahie et souffrir le martyre ? Non. Il n'en était pas question. Elle devait se rappeler les leçons du passé, résister à tout prix à cet homme au charme si envoûtant.

— Voulez-vous retourner danser ? dit Hawke d'une voix calme.

Le sous-entendu sensuel qu'impliquaient ces paroles fit frissonner Morna de la tête aux pieds. La raison lui disait de refuser. Pourtant, danser avec lui, se retrouver entre ses bras puissants, tandis qu'ils évolueraient au rythme d'une musique envoûtante... C'était ce qu'elle désirait le plus au monde.

— Non, dit-elle dans un souffle.

— Poltronne, répliqua Hawke d'un air sarcastique qui fit presque oublier à Morna toute prudence.

— C'est vrai, répondit-elle d'un ton si convaincu qu'il éclata de rire.

Soudain, elle le trouva extrêmement sympathique. Au cours de cette soirée, elle avait apprécié son humour incisif, et était tombée d'accord avec la plupart de ses propos. Mais en dépit de tout, c'était un homme dont elle devait se méfier.

— Puisque vous voulez partir, Morna, dites-moi où vous êtes garée.

D'un geste, elle lui indiqua l'emplacement de sa voiture.

Sans se l'avouer, Morna appréciait le fait qu'il ne cherche pas à la dissuader de rentrer. Bien sûr, cela pouvait aussi signifier qu'il ne tenait pas assez à elle, ou qu'il était certain d'arriver à ses fins à un autre moment.

Elle lui jeta un coup d'œil rapide et fut une nouvelle fois frappé par l'incroyable virilité qui se dégageait de lui. « Une aventure d'une nuit, voilà tout ce qui l'intéresse », se dit-elle avec cynisme. D'ailleurs, c'était apparemment la seule chose qui intéressait la plupart des hommes. Et ils ne reculaient devant aucun stratagème pour y parvenir, songeait Morna tandis qu'ils s'approchaient de sa voiture.

Avec courtoisie, Hawke se pencha pour lui ouvrir la portière.

— Faites de beaux rêves, Morna, lui dit-il lorsqu'elle fut installée au volant.

— Vous aussi, répondit la jeune femme après un instant d'hésitation.

Hawke referma la portière d'une main ferme, mais avec délicatesse, sans la faire claquer.

L'esprit confus, Morna démarra d'une main fébrile avant de quitter le parking de l'hôtel.

Une fois chez elle, au lieu de se diriger vers l'intérieur de la maison, Morna ôta ses chaussures et gagna la plage située en contrebas.

Non, se dit-elle, le désir ardent qui embrasait son corps n'avait rien à voir avec Hawke. Si elle se le répétait assez souvent, peut-être parviendrait-elle à s'en convaincre ?

De minuscules vagues venaient mourir sans bruit sur le rivage, et rien ne venait troubler le silence.

Pendant un long moment, Morna observa les myriades d'étoiles qui scintillaient dans un ciel sans lune, comme autant d'inaccessibles diamants incrustés dans du bois d'ébène.

Soudain, un tendre sourire se dessina sur ses lèvres. Le cercle d'amour qu'avaient créé Cathy et Nick serait bientôt parfaitement achevé. Un bébé ! A travers cet enfant, la vie allait naître de nouveau, comme un magnifique cadeau offert à l'avenir.

Morna était ravie pour eux. Mais en même temps, leur bonheur lui donnait une conscience aiguë de sa propre solitude. Un frisson la parcourut, alors qu'elle voyait s'éteindre les dernières lumières, de l'autre côté de l'estuaire. « Me voilà de nouveau seule », se dit-elle avec mélancolie.

D'ailleurs, n'en avait-il pas été toujours ainsi ? Sauf lorsqu'elle était avec Nick, bien entendu. Car même pendant les années passées avec Glen, Morna avait ressenti une profonde solitude. Aveuglée par l'amour, elle n'en avait pas eu conscience, et elle avait baissé sa garde. Elle s'était totalement abandonnée à cet homme, laissant même de côté sa carrière. Jusqu'à ce que Glen la rejette avec cruauté, que toutes ses illusions volent en éclats.

Morna tourna le dos à la mer et rentra dans la maison. Dans la petite salle de bains attenante à sa chambre, elle entreprit de se démaquiller avec soin. Puis, sans complaisance, elle observa son visage dans la glace. Ses traits lui semblaient bien trop marqués : son nez, ses grands yeux, sa bouche pulpeuse, la forme carrée de son visage… Le chemin qu'avait parcouru la petite fille sans père qu'elle avait été, née dans une banlieue pauvre d'Auckland, elle ne le devait qu'à la force de son travail, et à sa détermination sans failles.

Parfois, lorsqu'elle se dévisageait ainsi dans le miroir, elle voyait de nouveau la petite fille d'autrefois.

— Tu t'apitoies sur ton sort ! s'exclama-t-elle à haute voix tout en se détournant du miroir.

Elle s'efforça de chasser ces sombres pensées de son esprit, et se mit à se déshabiller. Tandis qu'elle ôtait sa jupe de soie, elle songea que Hawke paraissait apprécier sa beauté peu commune. Soudain, le souvenir de ses lèvres chaudes sur sa main lui revint. Et Morna se sentit troublée au plus profond d'elle-même.

Elle regarda par la fenêtre et constata que l'aube était proche à présent. Elle alla s'étendre sur son lit, qu'elle avait disposé de telle façon qu'en se levant tous les matins, il lui suffisait d'ouvrir les rideaux pour profiter d'une vue exceptionnelle.

Son enfance, elle l'avait passée dans la misère, entourée par la grisaille de rêves tragiquement brisés. Et à présent, elle vivait près d'une plage paradisiaque bordée de collines. Sa carrière était en plein essor. Son avenir, elle le tenait entre ses mains, et cela personne ne pouvait le lui enlever. Elle était entourée de merveilleux amis. Et bientôt, elle allait devenir la tante d'un splendide bébé. Que pouvait-on désirer de plus ?

Tomber amoureuse, peut-être ? C'était une erreur qu'elle avait commise une fois, et qu'elle ne ferait plus. Plus jamais elle ne suivrait l'exemple de sa mère. Plus jamais elle ne laisserait son avenir dépendre d'un homme.

*
* *

Morna ouvrit les rideaux après une nuit agitée. Avec bonheur, elle observa la lumière dorée du soleil levant sur la mer, l'herbe recouverte de rosée, et la blancheur du sable. Au loin sur la plage, flottait une légère brume automnale aux reflets argentés.

Tout à coup, elle entendit le bruit sourd d'un cheval au galop, et son sourire se figea sur son visage.

Elle fronça les sourcils en voyant un cavalier descendre de la colline à toute allure, le sable jaillissant sous les sabots du cheval dont la crinière flottait au vent. L'animal et l'homme semblaient sortis tout droit d'une autre époque.

Morna fit un pas en arrière. Le cheval lui paraissait énorme et effrayant, sa robe sombre luisait comme du bronze.

— Ça ne peut pas être lui..., murmura-t-elle, tandis que sa gorge se serrait et que son cœur se mettait à battre plus fort.

Le soleil l'empêchait de voir avec précision. Dieu merci, le cavalier ne semblait pas entièrement nu. Mais uniquement vêtu d'un maillot de bain noir. Les muscles de son torse d'athlète luisaient sous les rayons du soleil. La silhouette de l'homme et du cheval se découpait dans la clarté naissante de l'aurore, et ils offraient un tableau d'une primitive et époustouflante beauté.

Morna se sentait profondément troublée tandis qu'elle les regardait galoper dans sa direction.

Avec une exceptionnelle maîtrise, le cavalier fit imperceptiblement passer son cheval du galop au trot, avant de l'arrêter devant la maison, pour en scruter la façade d'un regard déterminé. Le souffle court, Morna se sentit saisie par une terrible appréhension.

Une fois que le cavalier eut disparu, elle se hâta d'ôter son pyjama et fonça dans la salle de bains enfiler un jean, un pull-over sans manches et d'élégantes ballerines. Enfin, elle attacha ses cheveux en une sage queue-de-cheval, et mit un splendide bracelet en émail noir à son poignet.

« Me voilà fin prête à affronter l'ennemi », songea Morna avec un sourire de satisfaction.

Le cheval et son cavalier apparurent de nouveau. Cette fois, ils longeaient tranquillement la plage.

L'estomac noué, Morna sortit de la maison et se dirigea vers eux. Quand il la vit, Hawke approcha et arrêta sa monture à quelques mètres d'elle, sans mettre pied à terre. L'air impénétrable, il se contentait de la regarder venir à lui. A ce spectacle, Morna sentit la colère monter en elle. Quel cliché ! Le seigneur des lieux monté sur son étalon favori, jaugeant sans pitié la jeune et tremblante paysanne qu'il tient à sa merci !

Mais elle n'était pas une jeune paysanne ingénue. Et si son cœur battait plus fort, ce n'était pas d'appréhension, mais de colère.

— Bonjour, déclara-t-elle d'un ton sec.

— Bonjour, Morna. Avez-vous bien dormi ? demanda Hawke avec calme.

— Très bien, merci.

En réalité, ses rêves avaient été peuplés de baisers ardents et de caresses passionnées... Mais il était hors de question qu'elle le lui avoue !

Soudain, l'étalon fit un écart, comme si quelque chose l'avait effrayé. Inquiète, Morna regarda Hawke maîtriser son impressionnante monture.

— Vous devriez porter une cravache, observa-t-elle.

Avec un haussement d'épaules, Hawke déclara d'un ton convaincu :

— Ceux qui ont besoin d'une cravache ne devraient jamais monter. Connaissez-vous bien les chevaux ?

— Ma mère m'a élevée seule, sans grandes ressources, et je n'ai jamais fait d'équitation. Aussi, les chevaux sont pour moi d'imposantes créatures qui n'en font qu'à leur tête. Mais j'aime la couleur du vôtre. Je dois dire que vous formez un ensemble parfaitement assorti.

Morna sentit son cœur bondir dans sa poitrine en voyant Hawke éclater de rire.

— Votre bracelet en laque noire est splendide, Morna, lui dit-il en reprenant son sérieux. S'agit-il d'une de vos créations ?

— Il est en émail, rectifia-t-elle. Et c'est effectivement moi qui l'ai fait.

A son grand dam, elle ne pouvait s'empêcher de se sentir flattée par les paroles élogieuses qu'il venait de lui adresser.

— Laque ou émail, cela brille, en tout cas, répliqua Hawke tandis qu'une lueur moqueuse passait dans son regard. Quels symboles y sont gravés ?

Morna fut étonnée que Hawke ait pu discerner les minuscules dessins. Il avait une vue perçante, cela ne faisait aucun doute.

Elle hésita quelques instants avant de répondre :

— Ce sont des flocons de neige.

— Comme c'est étrange ! Pourquoi un tel choix ?

— Et pourquoi pas ? rétorqua Morna. Ils ne représentent aucun symbole particulier. Je les ai simplement choisis parce qu'ils sont jolis et que chaque flocon est unique.

Elle recula d'un pas.

— Peut-être devriez-vous rentrer à présent, dit-elle sèchement. Vous risquez de prendre froid, et votre cheval aussi.

— Je vous dérange, peut-être ? s'enquit Hawke d'une voix sensuelle.

— Ce n'est pas vous qui me dérangez, Hawke. Mais votre cheval. J'avoue que je ne suis pas très à l'aise.

Morna ne put s'empêcher de rougir en voyant Hawke éclater de nouveau de rire.

A sa grande surprise, Hawke descendit de cheval et guida celui-ci jusqu'à un poteau où il l'attacha. Puis, il revint lentement vers Morna.

— Donnez-moi votre main, déclara-t-il d'un ton impérieux.

Morna se sentait de plus en plus mal à l'aise. Il n'allait tout de même pas lui embrasser la main encore une fois !

— Et pour quelle raison ? interrogea-t-elle avec méfiance.

Il se baissa pour arracher une touffe d'herbe.

— Afin que vous puissiez donner ceci à Rajah. Si vous voulez vous en rendre maîtresse, il faut connaître ses points faibles : la nourriture et la baignade.

Hawke fronça les sourcils. Il n'avait pas eu l'intention de s'attarder sur cette plage, et encore moins de descendre de cheval. Mais l'air distant que Morna affichait lui était apparu comme un défi à relever.

Il vit Morna faire un pas en arrière et ses yeux s'agrandir sous l'effet de la frayeur. Mais elle sembla se ressaisir et prit l'herbe qu'il lui tendait.

— La baignade ! En êtes-vous certain ? demanda-t-elle avec étonnement.

— Vous voyez une autre raison pour laquelle j'aurais mis un maillot de bain ? demanda-t-il avec un léger sourire aux lèvres.

Rassemblant tout son courage, Morna fit un pas en direction de Rajah. L'étalon leva sa tête majestueuse. Puis, il s'avança la bouche grande ouverte, les dents saillantes, manifestement très impatient de pouvoir se délecter d'une herbe aussi tendre.

Effrayée, Morna n'eut pas la force de faire un pas de plus. Alors, Hawke la poussa délicatement pour l'inciter à avancer, tout en affirmant d'une voix rassurante :

— Tout va bien. Ne craignez rien. Gardez bien l'herbe sur le plat de votre main.

— J'ai l'impression d'être le petit chaperon rouge, murmura Morna tout en se laissant guider par Hawke. Comme le loup, ce cheval a de bien grandes dents !

— Rassurez-vous. Rajah n'est pas carnivore, observat-il en riant doucement. Tendez-lui votre main. Oui, de cette façon.

Hawke regarda Morna du coin de l'œil. De toute évidence, elle ne se sentait pas à son aise. Pourtant, il la vit tendre la main au cheval sans sourciller. Et elle attendit jusqu'au bout que Rajah eût fini son festin. Etrangement, un sentiment de fierté s'empara de Hawke.

— Vous pouvez le caresser, Morna. Enfin, si vous en avez envie.

Morna laissa courir une main hésitante le long du museau de l'animal, et Hawke ne put s'empêcher de se demander quel effet cette caresse produirait sur son propre corps... Une sensation fascinante, il en était sûr.

— Croyez-vous que je sois le loup de la fable ? demanda-t-il soudain.

A peine eut-il prononcé ces paroles qu'il regretta de s'être montré aussi peu subtil. Pendant quelques instants, Morna resta immobile. Seule sa main continuait de caresser Rajah.

— Vous avez raison, dit-elle enfin. D'une certaine façon, je ne faisais pas référence à Rajah.

Depuis longtemps, Hawke considérait avoir passé l'âge des défis insensés. Pourtant, lorsque Morna lui lança un regard à la fois sensuel et déterminé, il se sentit prêt à tout pour conquérir cette femme.

4.

— Les loups ont très mauvaise réputation, dit Hawke en saisissant le poignet de Morna pour l'attirer vers lui. Et au fond, j'admire beaucoup leur absence de scrupules.

Il la plaqua contre lui. Et tout à coup, Morna sentit une extraordinaire sensation de joie l'envahir. Il lui semblait à cet instant qu'ils s'appartenaient l'un l'autre depuis toujours. Lorsqu'elle leva la tête et qu'elle rencontra le regard intense de Hawke, ses lèvres s'entrouvrirent.

Hawke se pencha et l'embrassa avec passion, la pressant contre son corps.

Morna sentait ses sens s'embraser. L'odeur chaude et salée de la peau de Hawke la bouleversait. Elle lui rendit son baiser avec une ardeur dont elle ne se serait pas crue capable. Rien ne l'avait préparée à s'abandonner ainsi...

Elle caressa le torse nu et musclé de Hawke, tout en pressant avec passion ses lèvres contre les siennes.

Elle l'entendit prononcer son prénom. Puis, il l'embrassa dans le cou, avec une infinie délicatesse. Quand elle émit un soupir de plaisir, Hawke lui mordilla le lobe de l'oreille, tout en posant la main sur ses seins.

Prête à défaillir de plaisir, Morna ouvrit les yeux. Elle perçut les rayons du soleil, aussi pénétrants et éblouissants que l'étreinte passionnée de Hawke.

— Vous savez ce qui va arriver, je suppose..., dit-il alors d'une voix rauque.

Ces quelques mots ramenèrent brusquement Morna à la réalité. Ce qui allait arriver ? Oh, oui, elle ne le savait que trop !

Comment pouvait-elle se laisser ainsi subjuguer par cet homme arrogant qu'elle connaissait à peine ? Comme elle regrettait à présent de lui avoir rendu son baiser avec une telle intensité !

— Il ne va rien arriver, Hawke. Il vaut mieux en rester là.

Elle ferma les yeux et dut faire appel à toute sa volonté pour ajouter :

— Maintenant, laissez-moi.

Hawke la repoussa brusquement. Morna sentit la fraîcheur de l'air sur sa peau et frissonna en se sentant abandonnée. Elle rougit lorsqu'elle croisa le regard de Hawke, où la colère se mêlait au mépris.

— Si c'est vraiment ce que vous voulez..., déclara-t-il d'un ton glacial. Mais sachez que je vous désire comme un fou. Et vous avez vraiment de la chance que le viol ne soit pas dans mes habitudes.

Morna se mordit la lèvre et faillit répliquer qu'il était le seul responsable de ce qui venait d'arriver. C'était bien lui qui avait commencé à l'embrasser. Mais elle se tut. Elle avait répondu à son étreinte avec une telle fougue qu'il était parfaitement en droit d'espérer davantage...

— Je suis désolée... mais... il faut que nous en restions là.

Morna n'eut pas la force d'ajouter un seul mot. Elle pivota sur elle-même et se dirigea vers la maison d'un air aussi déterminé que possible. Pourtant, une intense frustration s'empara d'elle lorsqu'elle entendit Hawke remonter en selle.

Elle se retourna. D'un geste de la main, Hawke lui adressa un salut moqueur. Comme s'il avait su qu'elle ne pourrait résister à l'envie de lui jeter un dernier regard... « Quelle arrogance ! » se dit-elle.

Elle franchit la porte avant de la claquer bruyamment derrière elle.

Et pourtant, Hawke était si troublant, si sensuel... mais aussi tellement dangereux...

Une demi-heure plus tard, la sonnerie du téléphone retentit. A l'autre bout du fil, Morna entendit la voix joyeuse de Cathy.

— Bonjour ! Tu allais partir au travail ?

— Pas encore, répondit Morna en jetant un coup d'œil à sa montre. Mais je ne vais pas tarder, sinon je risque d'être en retard.

— Bon. Alors nous parlerons de la soirée d'hier une autre fois. Je voulais juste te proposer de venir déjeuner à la maison, samedi prochain. Nous organisons un buffet auquel nous invitons tous nos voisins avant notre départ pour Hawaii.

— Avec joie ! Vous pouvez compter sur moi !

Se divertir constituerait pour elle un excellent moyen de ne plus penser à cet abominable Hawke Challenger... En attendant, une autre façon de l'oublier était de se plonger dans le travail sans plus tarder.

Rapidement, Morna avala un café et une tartine, puis gagna sa voiture.

*
* *

La chance voulut qu'il y eût beaucoup de travail à la bijouterie cette semaine-là. Morna reçut un jeune couple qui souhaitait lui commander une bague de fiançailles. Ils étaient en admiration devant tous les croquis qu'elle leur présentait, mais à peine avaient-ils enfin fait leur choix qu'ils changeaient d'avis.

Après leur départ, Morna déclara à Annìe, son assistante :

— Ce sont des cours de psychologie que j'aurais dû suivre. S'ils passent leur temps à hésiter ainsi, je doute fort qu'ils parviennent un jour jusqu'à l'autel.

Fort heureusement, d'autres commandes bien plus intéressantes et plus rentables lui étaient aussi parvenues. Ainsi, elle avait été sélectionnée pour décorer une vitrine sur un des splendides paquebots qui mouillaient dans le port d'Auckland.

Chaque soir, Morna rentrait à la nuit tombée et sombrait rapidement dans un lourd sommeil. Jusqu'à ce qu'elle soit réveillée par le même rêve, d'une délicieuse et inquiétante sensualité. Elle ne voyait pas le visage de l'homme dont elle rêvait, mais elle savait bien de qui il s'agissait... Et elle sentait le danger qu'il représentait pour elle : celui de la passion destructrice.

Morna était confortablement installée sur une chaise longue, au bord de la piscine, lorsqu'elle vit arriver Hawke accompagné de Nick. Les deux hommes se dirigeaient vers elle en bavardant.

La jeune femme ne put s'empêcher de se sentir trahie. Son premier réflexe fut de chercher refuge derrière d'épaisses lunettes de soleil, dans une tentative désespérée pour garder une allure à la fois raffinée et décontractée. En vain ! Le paréo blanc qu'elle avait noué autour de sa taille, sur son maillot de bain noir à la coupe classique, ne protégeait guère ses jambes du regard pénétrant de Hawke.

— Bonjour, dit-elle d'un ton froid et distant.

— Morna, répondit-il en inclinant la tête pour la saluer, l'air étrangement pensif.

Le souvenir de leur étreinte passionnée lui revenait-il à la mémoire ? se demanda-t-elle. Elle-même n'avait rien oublié… Une semaine de travail acharné n'avait pu effacer ce baiser brûlant de sa mémoire. Encore maintenant, Morna sentait en elle le feu du désir.

Avec un vif déplaisir, elle vit Hawke s'asseoir sur une chaise longue située à côté d'elle. Vêtue de son simple maillot de bain et de son paréo, elle se sentait à sa merci, impuissante. Le pire, c'était que Hawke en avait parfaitement conscience. Elle le sut en voyant le sourire à la fois amusé et serein qui flottait sur ses lèvres.

Mais, surtout, Morna ressentait un terrible effroi face aux sentiments inattendus et contradictoires qui se bousculaient en elle. C'était étrange, elle se sentait à la fois vulnérable et protégée en face de cet homme.

Protégée ? Par Hawke ! Elle devait sûrement avoir perdu l'esprit !

Gagnée par la colère, Morna s'assit brusquement sur le bord de sa chaise. Après avoir ôté le bandeau qui retenait ses boucles noires, elle secoua la tête pour tenter de dissimuler quelque peu son visage.

Du coin de l'œil, elle observa Hawke. Il portait une chemise à la coupe parfaite, et un pantalon de coton qui mettait en valeur ses hanches étroites et ses jambes musclées.

— Vous avez de fort jolies jambes, dit-il d'un ton provocateur.

Abasourdie, Morna resta muette pendant quelques secondes avant de rétorquer :

— Je peux vous retourner le compliment. Vous devez faire beaucoup d'exercice pour parvenir à un tel résultat.

— Le travail du ranch est largement suffisant pour rester en forme, vous savez.

Les autres invités des Harding arrivaient. Les présentations de rigueur procurèrent à Morna une distraction qui allégea un peu le poids qu'elle sentait peser sur sa poitrine.

Soudain, une très jeune fille de seize ans environ s'approcha de Hawke et murmura dans un soupir :

— Mon Dieu ! Je crois que je viens de tomber amoureuse de vous. Ça ne vous ennuie pas, j'espère.

— C'est un honneur, bien au contraire, répondit Hawke avec un éblouissant sourire. Je suis assez vieux pour être votre père. Mais ça n'a aucune importance. Avant l'âge de vingt ans, toute jeune femme a le droit d'entretenir au moins une fois dans sa vie une liaison malheureuse avec un homme mûr et peu recommandable.

Après lui avoir jeté un regard ébahi, la jeune fille éclata de rire.

Morna se sentit touchée par le comportement de Hawke. Il avait su comprendre la fragilité de l'adolescente et lui avait répondu non seulement avec humour, mais aussi avec une exquise délicatesse et un profond respect.

Il lui arrivait donc de se montrer sensible, gentil et attentionné ! Pourquoi cela la rendait-il aussi nerveuse ?

Morna promena un regard sur l'ensemble des invités. Parmi eux, elle aperçut soudain le visage livide de Cathy. Visiblement prête à défaillir, la jeune femme se laissa tomber sur une chaise toute proche. En quelques secondes, Nick se trouva auprès d'elle, et Morna se hâta de les rejoindre.

— Comment te sens-tu, Cathy ? demanda-t-elle avec inquiétude.

Un faible sourire éclaira le visage de Cathy.

— Mieux, merci. Il fait trop chaud à mon goût, en cette fin d'automne. Mais la légère brise qui vient de se lever me fait déjà le plus grand bien.

En effet, son visage reprenait peu à peu quelques couleurs.

— Veux-tu que je demande aux gens de partir ? demanda Morna en se tournant vers Nick.

— Il n'en est pas question, intervint Cathy. Croyez-moi, je me sens très bien à présent.

Nick lui lança un regard inquiet avant de déclarer d'un ton déterminé :

— Très bien. Repose-toi. Mais si tu devais de nouveau te trouver mal, je me chargerais moi-même d'interrompre cette réception.

Pour soulager Cathy, Morna prit les choses en main et endossa le rôle de maîtresse de maison. Elle n'avait aucune envie que la jeune femme ne se surmène et ne se trouve mal de nouveau. Et puis, s'occuper des invités lui fournissait une excellente excuse pour rester loin de Hawke.

Près de la piscine, elle remarqua que celui-ci était en train de présenter sa jeune admiratrice à un adolescent de son âge. Tous trois discutèrent ensemble quelques instants. Puis Hawke s'éclipsa, laissant les deux jeunes gens à leur conversation.

Puis vint le moment de se rassembler autour du buffet disposé dans le jardin, à l'ombre des grands arbres.

Morna jeta un coup d'œil discret en direction de Cathy,

qui semblait avoir retrouvé tout son dynamisme et toute sa gaieté. Mais jusqu'au départ du dernier invité, Nick se tint près d'elle à la couver du regard.

Morna ne cessait de penser à Hawke tandis qu'elle rentrait chez elle au volant de sa vieille voiture. Pourquoi n'avait-il pas cherché à l'approcher de toute la journée ? Ressentait-il pour elle de l'indifférence ? Pire, du rejet ? Malgré elle, l'attitude de Hawke la blessait et la frustrait. Mais aussi, pourquoi se montrait-elle aussi sensible à chacune de ses paroles, au moindre de ses gestes ?

Et surtout, pourquoi éprouvait-elle du désir pour lui ?

Aujourd'hui, Morna savait qu'en devenant la maîtresse de Glen, plus âgé qu'elle, elle avait cherché en lui un père qu'elle n'avait jamais eu. Mais avec Hawke, il ne s'agissait pas de cela. Guidée par son instinct, elle sentait qu'avec lui, elle pouvait perdre le contrôle d'elle-même. Et pour rien au monde elle ne voulait se trouver dans une situation aussi périlleuse...

La grille de sa maison apparut enfin. Tandis qu'elle garait son véhicule, Morna vit dans le rétroviseur qu'une voiture arrivait derrière elle. Une Range Rover.

Son cœur se mit à battre la chamade. Hawke était bien la dernière personne qu'elle avait envie de voir !

Il descendit de voiture et avança dans sa direction d'un pas décidé.

— Que voulez-vous ? parvint-elle à demander, la gorge serrée.

Avec un regard d'une extrême froideur, il l'observa quelques instants avant de déclarer :

— Pourquoi m'avoir caché que vous aviez hérité de Tarika Bay ?

— Je n'avais pas à vous en avertir, répliqua-t-elle d'un ton sec. En quoi cela vous concerne-t-il ? Et puis, la baie ne m'appartient pas.

Une lueur de mépris passa dans le regard de Hawke tandis qu'il rétorquait d'un ton glacial :

— Osez-vous prétendre que Jacob Ward ne vous l'a pas léguée ?

— C'est vrai, mais je n'en suis pas encore propriétaire, répondit Morna qui se sentait gagnée par la colère.

— Ce n'est qu'une question administrative. Morna, je veux cette terre. Je vous en donnerai plus qu'elle n'en vaut.

Elle leva le menton d'un air de défi.

— Jamais je ne la vendrai.

— Pourquoi donc ?

— Parce que Jacob n'aurait pas voulu que je le fasse.

— Et pour quelle raison, je vous prie ?

Voyant que Morna hésitait à lui répondre, Hawke s'écria :

— Alors ! J'attends votre explication !

Morna prit une profonde inspiration.

— Les gens de votre espèce inspiraient à Jacob un profond dégoût. Pour votre seul profit, vous n'avez pas hésité à transformer la baie de Sommerville en un club de vacances réservé à une clientèle de privilégiés. Et pour construire votre merveilleux parcours de golf, vous avez saccagé la nature sans le moindre scrupule.

Hawke la regarda droit dans les yeux avant de rétorquer avec froideur :

— Je n'ai pas à m'excuser de ce que j'ai accompli ici. J'ai enrichi les gens de cette région en leur fournissant les emplois qu'ils ne trouvaient plus depuis longtemps !

Et beaucoup parmi eux sont heureux de pouvoir se détendre en venant jouer au golf pendant leur temps libre. Contrairement à ce que vous pensez, ce n'est pas réservé à une élite fortunée. Loin de là !

— C'est vrai, reconnut Morna. Mais Jacob voulait que cette terre soit préservée, qu'elle demeure telle qu'il l'avait connue dans son enfance. Je suis certaine que vous pouvez comprendre ça !

— Et ça vous paraît raisonnable ?

Morna hésita un court instant avant de répondre :

— Mon devoir est de respecter ses dernières volontés.

Au fond, elle ne partageait pas la vision passéiste de Jacob. Mais l'admettre eût été une impardonnable marque de faiblesse dont Hawke aurait sûrement tiré profit. Face à un homme aussi déterminé, elle devait faire preuve de la plus extrême prudence. D'ailleurs, elle ne lui divulguerait certainement pas ses projets concernant cette baie qu'il convoitait tant. En effet, l'association caritative à laquelle Morna faisait régulièrement des dons, grâce à l'argent de Glen, organisait des séjours de vacances pour les enfants défavorisés. Tarika Bay serait un lieu parfait pour eux.

— Nous en reparlerons quand vous aurez à payer les premiers impôts fonciers, déclara Hawke d'un ton méprisant.

— Et pourquoi, je vous prie ? demanda Morna en fronçant les sourcils.

— Les impôts atteignent des sommes considérables pour les zones côtières. A moins que votre travail ne vous rapporte beaucoup d'argent, ou que vous ne possédiez une autre source de revenus, Tarika Bay représentera une charge énorme dans votre budget.

Morna se mordit la lèvre. Pourquoi n'y avait-elle pas songé plus tôt ? Comment pouvait-elle être aussi naïve ?

— Etiez-vous une parente de Jacob Ward ? ajouta Hawke.

— Non, nous étions de vieux amis, précisa-t-elle d'un air de défi.

Une lueur d'incrédulité passa dans le regard de Hawke.

— Je suis prêt à payer un bon prix, poursuivit-il.

Morna croisa les bras sur sa poitrine pour tenter de se réchauffer.

— Je ne vendrai à personne, Hawke. Et vos tentatives d'intimidation ne vous mèneront nulle part.

— Je vous préviens que je m'opposerai à tout projet immobilier.

— Je m'en moque, rétorqua Morna d'un ton cassant.

— Vous ne pourrez jamais vendre la baie à personne d'autre que moi. J'en fais mon affaire, annonça-t-il avec un calme effrayant.

Morna le regarda droit dans les yeux. Elle y lut une détermination sans failles qui durcissait les traits de son splendide visage. De toute évidence, cet homme pouvait se révéler un ennemi redoutable.

— Ah, bon ? Je serais curieuse de savoir comment vous allez vous y prendre, Hawke.

— Qui osera vous faire une offre lorsqu'on saura que votre propriété m'intéresse à ce point ? Personne. Vous feriez aussi bien de me la vendre tout de suite. Vous n'aurez jamais de meilleure proposition que la mienne.

Avec une détermination comparable à celle qu'elle venait de lire dans le regard de Hawke, Morna affirma d'un ton cassant :

— Désolée, mais vous perdez votre temps. Jamais

je ne me séparerai de ces terres. Et si ça vous gêne de m'avoir comme voisine, vous n'avez qu'à faire comme si je n'existais pas.

— Ça, c'est au-dessus de mes forces, dit-il d'une voix sourde. Tout comme vous ne pouvez rester insensible à ma présence.

— Vous vous croyez irrésistible à ce point ? lança Morna, furieuse.

— Vous ne pouvez nier qu'une force invisible nous pousse l'un vers l'autre. C'est ainsi, et nous n'y pouvons rien. Si vous restez ici, vous savez parfaitement ce qui finira par se passer entre nous, tôt ou tard.

De toutes ses forces, Morna tentait de résister au charme magnétique de Hawke. Pourtant, la raison était bien faible face au désir intense qui embrasait ses sens.

Haussant légèrement les épaules, elle déclara d'un ton aussi détaché que possible :

— J'agirai toujours en fonction de mes intérêts.

— Je vous fais confiance. Vous semblez posséder le don d'attirer les héritages, répliqua Hawke d'un ton cassant. C'est grâce à Glen que vous avez pu acheter votre magasin... Jacob Ward était-il aussi votre amant ?

Morna se figea. Elle ne pouvait en croire ses oreilles. Comment osait-il se montrer aussi grossier ?

— Vous parlez d'un homme âgé, rétorqua-t-elle d'une voix glaciale.

— Et, alors ? dit-il avec une extrême brutalité.

— Alors, il n'est pas dans mes habitudes de choisir pour amant un homme qui pourrait être mon grand-père.

Morna tourna brusquement les talons, envahie par une profonde colère et un indicible dégoût. D'un pas décidé, elle se dirigea vers la maison.

A présent, il était clair que Hawke partageait l'opinion

69

générale. Il la considérait comme une femme prête à toutes les bassesses pour parvenir à ses fins.

Soudain, elle sentit un chagrin immense l'envahir, tandis qu'elle entendait le bruit de la Range Rover s'évanouir au loin. Ce n'était pas la colère qui la faisait le plus souffrir, mais le sentiment d'avoir été trahie…

Hawke n'était qu'un ignoble hypocrite. Comment avait-il pu l'embrasser avec autant de fougue pour l'accuser ensuite d'être une femme vénale et sans scrupules ?

5.

Certes, il l'avait embrassée avant de savoir qu'elle avait hérité de Tarika Bay, mais pourquoi lui chercher des circonstances atténuantes ? Hawke ne l'avait-il pas jugée et condamnée sans même la connaître ? Il avait sûrement entendu ces odieux ragots sur elle et Jacob pendant la réception, et il était tout prêt à les croire !

Morna se prépara un dîner frugal, tout en essayant de chasser ces sombres pensées de son esprit. Mais le doux souvenir des caresses de Hawke sur sa peau continuait de la hanter.

Elle emporta son sandwich à sa table de dessin. Se réfugier dans le travail, c'était le meilleur moyen de recouvrer son calme. Quel cadeau conviendrait le mieux à un bébé ? Un petit bijou de corail et de perles fines serait une excellente idée. S'il s'agissait d'une fille, bien sûr. Mais pour décider de la couleur des perles, il lui faudrait attendre de voir le teint de l'enfant.

Et si par hasard il s'agissait d'un garçon ? Pas question de lui offrir une timbale en argent. C'était un cadeau bien trop conventionnel.

Morna commença à ébaucher quelques idées sur le papier.

Il était peu probable qu'elle-même connût un jour la joie

d'avoir un enfant. Et la tendresse qu'elle éprouvait envers ce petit être dont elle serait bientôt la tante apaisait son cœur douloureux.

Le lendemain matin, Morna vit avec appréhension le jeune couple d'éternels indécis se présenter à sa bijouterie. Toujours incapables de s'accorder sur un modèle de bague, ils se mirent même à se quereller.

Morna parvint à les apaiser, puis à les guider efficacement dans leur choix.

Mais elle n'était pas au bout de ses peines. Juste après le déjeuner, deux clients se retrouvèrent enfermés avec elle dans le magasin, suite à une défaillance du système de sécurité. Et il fallut patienter jusqu'à l'arrivée du réparateur pour que tout rentre enfin dans l'ordre.

Comme si cela ne suffisait pas, Morna se coupa à l'index tandis qu'elle taillait un splendide diamant.

Et dire que le soir même, elle devait assister à une exposition de perles rares dans un des palaces d'Auckland ! Arriver en arborant un énorme pansement était une chose dont elle se serait passée bien volontiers !

Après une telle journée, Morna se demandait ce qui allait bien pouvoir encore lui arriver...

Soudain, elle se rappela avoir omis de se renseigner sur les taxes foncières dont Hawke avait parlé. Mais il était trop tard pour y penser, à présent. Elle devait rentrer se préparer pour la soirée.

Morna se maquilla rapidement dans l'atelier, puis revêtit un cache-cœur, bordé de fines dentelles, et une jupe qu'elle avait apportés avec elle le matin même.

Puis, elle ouvrit le coffre pour en sortir un somptueux diamant, qu'elle glissa délicatement à son doigt. D'une couleur un peu plus pâle que ses yeux, il brillait d'un éclat exceptionnel, tel un soleil lointain déposé sur sa peau.

— Mon Dieu ! C'est la caverne d'Ali Baba ici ! s'exclama Annie en désignant le coffre grand ouvert.

— Vous avez raison. Regardez ces diamants et ces rubis. Je les ai commandés pour la bague de fiançailles de ce couple indécis. Quant à ce collier de diamants, les clients ne viendront le récupérer que la semaine prochaine, ils sont encore à l'étranger pour quelques jours. Mais admirez surtout cette splendeur ! Vous le reconnaissez, j'en suis sûre. Le fameux collier que Babs Pickersgill a hérité de sa mère ! Elle veut que je renfile ces trois rangées de perles fines… Je n'ai jamais vu des perles d'une si parfaite beauté. Elles proviennent toutes de Tahiti, bien sûr ! C'est un bijou d'une valeur inestimable. D'ailleurs, tout le monde en a entendu parler dans la région.

Soudain, un coup de sonnette énergique retentit.

— Voilà un client qui semble savoir ce qu'il veut. Je m'en occupe. Partez et amusez-vous bien, s'empressa de déclarer Annie avec un sourire engageant.

Dans le hall de l'hôtel, Morna se trouva mêlée à une foule de personnes qui allaient et venaient tout en s'exprimant dans des langues inconnues.

Tandis qu'elle pénétrait dans l'ascenseur, elle se sentit soudain horriblement seule. A l'entrée de l'exposition, le responsable de la sécurité lui demanda son carton d'invitation, avant de l'autoriser à entrer dans le salon.

— Désirez-vous une coupe de champagne, madame ? lui demanda un serveur.

Il portait un plateau d'argent sur lequel étaient disposées

plusieurs coupes de cristal, qui contenaient un liquide rose et doré.

Morna accepta avec plaisir, et se mit à observer la foule qui l'entourait. C'était un étrange mélange d'initiés et de célébrités de divers horizons : les organisateurs avaient ainsi obtenu qu'un maximum de publicité fût faite autour de cette exposition. Bien sûr, la presse aussi avait été conviée.

Morna adressa un sourire poli à deux ou trois de ses concurrents, lança un sourire plus appuyé en direction de Babs Pickersgill, et salua une amie d'un geste de la main.

L'insupportable sentiment de solitude qui s'était emparé d'elle dans l'ascenseur se fit de nouveau sentir. Le superbe diamant qu'elle portait à son doigt lui rappelait douloureusement qu'aucun homme ne l'avait jamais aimée au point de lui offrir une telle marque d'affection.

Pendant un bref instant, le visage déterminé de Hawke apparut devant ses yeux, mais elle chassa cette vision en secouant la tête.

Elle se dirigea vers des perles multicolores disposées dans d'élégantes vitrines. Devant ce spectacle, la fatigue et la contrariété cédèrent le pas à l'émerveillement. Que de bijoux extraordinaires elle pourrait créer grâce à de telles splendeurs !

Tout à coup, les conversations se firent plus animées. Bien qu'absorbée dans la contemplation des merveilles exposées devant elle, Morna tourna la tête pour voir ce qui causait cette soudaine tension. Elle se figea.

Hawke venait de pénétrer dans le salon. Leurs regards se croisèrent et Morna fut captivée par l'intensité de ses yeux verts. Une sensation inattendue, d'une délicieuse sensualité, la parcourut tout entière.

Soudain elle remarqua la jeune femme qui se tenait à côté de Hawke.

Morna fut sur le point de défaillir lorsqu'elle vit l'inconnue poser sa main délicate sur la manche de Hawke… Celui-ci portait un smoking, remarqua-t-elle, l'esprit confus. Plus tard, il emmènerait probablement sa conquête dîner en tête à tête. Et ensuite ? Que feraient-ils ?

Faisant un terrible effort sur elle-même, Morna se détourna. Mais l'image de cette femme au bras de Hawke l'obsédait, l'empêchant d'admirer les perles somptueuses étalées sous ses yeux.

Mais que diable faisait-il ici ?

Une terrible pensée traversa son esprit. Voulait-il lui montrer qu'il se considérait libre de tout engagement envers elle ? Leur baiser avait-il à ses yeux si peu d'importance ?

Morna avala une gorgée de champagne, sans même prendre le temps de le déguster.

Soudain, la tête lui tourna et elle posa son verre. Mais ce moment de faiblesse n'était pas dû qu'à l'alcool… Une sensation de vertige s'était emparée d'elle au moment où elle avait posé les yeux sur Hawke. Ce sentiment intense, elle le ressentait chaque fois qu'elle contemplait un joyau d'une parfaite beauté. Et chez cet homme, tout n'était qu'harmonie. Ses cheveux noirs, sa peau bronzée qui mettait en valeur l'éclat de ses yeux verts… Grand et athlétique, une sensualité virile…

Ce n'était pas la première fois qu'elle croisait un homme d'une remarquable beauté. Mais jusqu'à présent, jamais aucun n'avait suscité en elle un tel désir.

Morna n'était pas seulement sensible à la beauté physique de Hawke. Elle ne pouvait s'empêcher d'admirer son courage, sa détermination, et son caractère entier, même quand elle éprouvait de la colère à son égard. Certes, il était parfois brusque, mais jamais jusque-là il ne lui avait menti.

Morna ne parvenait pas à détacher son regard de la jeune femme qui accompagnait Hawke. Celle-ci venait de jeter ses bras autour du cou de son compagnon, avant de lui donner un rapide baiser sur les lèvres. Désemparée, Morna détourna les yeux.

C'est alors que Babs Pickersgill s'avança vers elle en la saluant avec effusion.

Cette femme d'âge mûr, très généreuse, présidait de nombreuses œuvres de bienfaisance. Pour autant, cela ne l'empêchait pas d'être une redoutable commère...

— Ma chère Morna, vous êtes la seule personne à qui je puisse poser cette question en toute confiance. A votre avis, acheter quelques-unes de ces perles constituerait-il un placement intéressant ?

Mais alors que Morna s'apprêtait à lui répondre, le regard de Babs s'illumina.

— Oh, Hawke ! s'exclama-t-elle d'un ton ravi.

Hawke jeta à Morna un regard pénétrant avant de se tourner vers Babs pour la saluer. En l'entendant prononcer son prénom d'une voix grave et sensuelle, cette femme d'âge mûr ne put s'empêcher de rosir de plaisir.

Morna se sentait prise au piège. Comment pourrait-elle éviter de parler à Hawke, à présent ?

Hawke jeta un rapide coup d'œil à Morna. Etait-ce bien une lueur de panique qu'il lisait dans ses yeux marron aux splendides reflets ambrés ?

— Morna, voici..., commença Babs avec un large sourire.

Mais elle fut interrompue par Hawke qui s'empressa de préciser :

— Nous nous connaissons déjà. Je ne vous dérangerai pas longtemps, mais j'ai une faveur à demander à Morna. Tout à l'heure, j'aimerais pouvoir vous présenter quelqu'un qui est très impatient de faire votre connaissance.

Le visage de Morna resta impassible.

— Avec plaisir, répondit-elle d'un ton maussade.

— Merci infiniment. A tout à l'heure, donc.

Lorsqu'il les quitta, Morna se sentit extrêmement soulagée. Quant à Babs, elle suivit Hawke du regard pour savoir vers qui il se dirigeait.

— Il accompagne Peri Carrington ! lança-t-elle à Morna avec un regard entendu. Le bruit circule que les choses vont bon train entre eux deux. Peut-être est-il enfin tombé amoureux ? Personne n'y croyait plus. Le pauvre garçon a été persécuté par des hordes de prédatrices sans scrupules, et ce avant même de quitter l'université. Rien d'étonnant à ce qu'il soit devenu cynique envers les femmes. Peut-être cherchait-il tout simplement une jeune fille naïve et innocente.

— C'est très probable, répliqua Morna, sans réfléchir à ses paroles.

— Peri semble absolument charmante. C'est la fille de Sir Philip. Vous avez sûrement entendu parler de lui ?

— Je vois très bien de qui il s'agit, répondit Morna avant d'orienter de nouveau leur discussion sur la valeur des perles qui les entouraient.

Au bout de dix minutes, Morna se retrouva de nouveau seule. Elle parcourut la pièce du regard pour savoir où se trouvait Hawke, et vit que Peri Carrington se tenait toujours à son bras.

Lassée du bruit des conversations, Morna jeta un dernier regard sur les perles exposées, avant de se diriger tout droit vers Hawke et sa compagne. Il n'était pas question qu'elle attende qu'ils daignent venir la retrouver. Cette fois, elle était bien décidée à prendre les choses en main.

Mais quand elle arriva près d'eux, Morna sentit son cœur s'emballer. Toutefois, elle réussit à esquisser un petit sourire professionnel. Hawke lui présenta Peri Carrington avant d'ajouter sur un ton amical :

— Peri cherche une personne capable de dessiner la bague de ses rêves.

Les deux jeunes femmes se saluèrent en murmurant de vagues paroles de politesse.

— Hawke m'a beaucoup parlé de votre talent, déclara Peri d'un air aimable.

— C'est très gentil à lui, répondit poliment Morna. Quelle sorte de bague désirez-vous ?

La jeune femme observa attentivement le diamant que portait Morna.

— Est-ce une de vos créations ? interrogea-t-elle.

Peri Carrington devait avoir tout juste vingt-trois ou vingt-quatre ans. Et pourtant, elle s'habillait déjà avec beaucoup d'élégance.

— Oui, je l'ai fabriquée moi-même, affirma Morna avec fierté.

— Elle est merveilleuse. Puis-je la contempler de plus près ?

Morna la fit glisser de son doigt pour la tendre à la jeune femme.

Cette bague somptueuse avait été commandée par une cliente qui avait finalement décidé qu'elle ne la prendrait pas. Bien qu'un peu voyante au goût de Morna, elle était du plus bel effet. De style art déco, l'éclat magnifiquement ambré du diamant central se trouvait rehaussé de chaque côté par deux diamants d'un splendide bleu azur.

— Quel fabuleux bijou ! s'exclama Peri avec une excitation tout enfantine. Puis-je l'essayer ?

— Je vous en prie.

Peri fit glisser la bague à son annulaire gauche et admira sa main avant d'adresser à Hawke un regard sensuel.

— Qu'en penses-tu ?

— Fantastique, déclara-t-il le visage impassible. Les pierres sont magnifiques et le savoir-faire remarquable. C'est un produit d'un raffinement exquis.

Morna n'osa pas lever les yeux vers lui. Quelque chose dans le ton qu'il venait d'employer la faisait frémir de la tête aux pieds.

Peri éclata de rire.

— Un produit ! Tu es bien le seul à qui viendrait l'idée d'appeler ainsi un tel joyau !

Puis, elle rendit la bague à Morna avant d'ajouter :

— Merci infiniment. Je viendrai vous voir à votre bijouterie pour que nous discutions ensemble de la bague qui me conviendrait le mieux.

— Avec grand plaisir, répliqua Morna d'un ton poli avant d'extraire de son sac une carte de visite et de la tendre à la jeune femme.

Puis, elle poursuivit d'un air dégagé :

— Excusez-moi. Mais je dois vous quitter à présent.

— Un autre rendez-vous ? demanda Hawke d'une voix calme.

— Oui, en effet, répondit Morna avant de s'éclipser rapidement.

Un autre rendez-vous, elle en avait bien un. Avec son lit, tout simplement !

Dehors, l'air enveloppa Morna d'une douce chaleur, très inhabituelle pour une fin d'automne.

Les paroles de Hawke lui revinrent à la mémoire. « Vous

savez ce qui va arriver, je suppose… » Morna sentit sa gorge se nouer. Jamais ! Jamais, elle ne s'autoriserait une liaison avec Hawke.

Le voiturier apparut avec sa voiture, et Morna se sentit soulagée de pouvoir se glisser derrière le volant. Les nerfs à vif, elle voulait s'enfuir au plus vite de cet endroit.

Une fois rentrée chez elle, elle s'obligea à boire une tasse de lait chaud avant de se mettre au lit.

Mais le sommeil ne venait pas.

Pendant des heures, elle fut hantée par des images qui l'assaillaient sans relâche : Hawke faisant l'amour avec la jeune et splendide Peri.

— Assez ! s'exclama-t-elle enfin, à bout de nerfs, tout en jetant à terre son oreiller comme pour exorciser les pensées obsédantes qui la harcelaient.

Après tout, pourquoi Hawke n'aurait-il pas le droit de faire l'amour avec quelqu'un d'autre ?

A bout de forces, Morna finit par sombrer dans le sommeil.

A tâtons, Morna avança la main pour saisir le combiné du téléphone. Elle eut juste le temps de voir qu'il faisait encore nuit.

— Allô, prononça-t-elle d'une voix endormie.

— Mademoiselle Vause ? interrogea une voix masculine, d'un ton très officiel. Vous êtes bien la propriétaire de la bijouterie Vause dans Forsythe Street ?

— Oui. Qui est à l'appareil ?

— La police, mademoiselle. Votre magasin vient d'être cambriolé. Presque tout a été dérobé, y compris le contenu du coffre. L'alarme ne s'est pas déclenchée.

Dix minutes plus tard, Morna fonçait au volant de sa

voiture en direction d'Auckland. A cette vitesse, elle devait faire appel à toute sa concentration pour éviter l'accident. Heureusement, la lueur de la pleine lune éclairait largement la route.

Lorsque Morna atteignit la partie goudronnée de la chaussée, elle appuya un peu plus sur l'accélérateur.

Mais elle venait à peine de dépasser le club de vacances qu'elle perdit le contrôle de son véhicule dans un virage difficile.

Avec horreur, elle vit un véhicule arriver en sens inverse. Elle appuya brusquement sur la pédale de freins, et tourna instinctivement le volant afin d'éviter la collision. Sa voiture dérapa sur plusieurs mètres avant d'être brutalement arrêtée par un obstacle.

Dans une indescriptible cacophonie de tôle froissée et de grincements métalliques, Morna se sentit propulsée vers l'avant avec une extrême violence. Elle ne dut qu'à sa ceinture de sécurité d'être maintenue fermement sur son siège.

Elle respirait avec difficulté. Dans un état second, elle chercha à tâtons la clé de contact pour arrêter le moteur qui tournait encore. Puis, bien qu'étourdie, elle parvint tant bien que mal à détacher sa ceinture. Tout à coup, on ouvrit brusquement la portière.

— Est-ce que ça va ? demanda aussitôt une voix masculine.

Morna cligna des yeux, tandis que l'homme s'accroupissait pour se mettre à sa hauteur.

Hawke !

— Oui, murmura-t-elle d'une voix tremblante.

— Rien de cassé ? Avez-vous mal quelque part ?

— Mon épaule semble un peu douloureuse. C'est tout.

Mais Hawke ne se contenta pas de cette réponse.

— A présent, respirez profondément.

Morna obéit.

— Aucune douleur ? Vous en êtes certaine ?

La voix de Hawke était redevenue calme et déterminée.

— Non, non, je n'ai mal nulle part. Je vous assure.

— Bien, vous n'avez pas de côtes cassées.

Soudain, elle fut saisie d'une envie irrépressible d'enfouir sa tête entre ses mains et de se mettre à sangloter.

Hawke se releva et recula d'un pas.

— Sortez de la voiture, maintenant.

Lorsqu'elle tenta de se mettre debout, Morna sentit ses jambes se dérober sous elle.

— Mon Dieu ! gémit-elle. Mais qu'est-ce qui se passe ? Je ne suis pas blessée, pourtant.

— Vous vous trouvez sûrement en état de choc.

Avec une infinie douceur, Hawke l'entoura de ses bras musclés. Puis, il la souleva comme si elle avait été aussi légère qu'une plume.

— Toujours aucune douleur, Morna ? Vous en êtes bien certaine ?

— Non, aucune. A part à l'épaule. Et j'ai déjà moins mal. Vous pouvez me poser à terre. Tout va bien maintenant, je vous assure.

Hawke l'observa attentivement avant de la poser à terre, mais il garda les bras autour de la taille de la jeune femme.

Et heureusement ! Car aussitôt, Morna se sentit défaillir et elle dut s'accrocher à Hawke.

— Bon sang, murmura-t-elle tandis qu'elle tremblait de tous ses membres.

— L'état de choc provoque d'étranges réactions, déclara Hawke d'un air profondément inquiet.

Il l'enlaça plus fermement, et Morna sentit une chaleur intense envahir tout son corps, alors même qu'elle continuait à frissonner.

— Accrochez-vous à moi, reprit Hawke. Si vous n'avez pas la force de marcher jusqu'à ma voiture, je vous porterai.

Morna se sentit profondément rassurée par ces paroles prononcées d'une voix calme. Pendant un court instant, elle se laissa aller entre les bras robustes de Hawke. Une telle force émanait de lui qu'elle éprouvait une sensation de sécurité absolue, comme elle n'en avait jamais connu auparavant.

Bientôt, elle n'eut plus besoin de son aide, et parvint à se tenir seule sur ses jambes. Pourtant, elle sentait que son sens de l'équilibre demeurait précaire.

Elle leva les yeux vers Hawke dont le visage anguleux était éclairé par le clair de lune. A son grand étonnement, elle s'aperçut qu'un sourire d'une incroyable douceur flottait sur ses lèvres.

Un trouble étrange envahit Morna. Et elle savait très bien que cela n'avait aucun rapport avec le choc qu'elle venait de subir... Mais elle fut soudain ramenée à la réalité lorsqu'elle entendit Hawke lui demander d'un ton cinglant :

— Au fait, que diable faisiez-vous sur la route au beau milieu de la nuit ? Et tous feux éteints par-dessus le marché !

Morna se retourna en direction de sa voiture encastrée contre un énorme poteau.

— Que dites-vous ? Mes feux n'étaient pas allumés ? demanda-t-elle d'une voix tremblante.

C'était impossible ! Comment avait-elle pu commettre une telle erreur ?

Redoutant de s'évanouir, Morna laissa Hawke l'aider à traverser la route pour atteindre la Range Rover. Une fois qu'il l'eut installée sur le siège passager, elle respira profondément avant de déclarer :

— Vous devez vous tromper. Comment aurais-je pu conduire dans la nuit si je n'avais pas allumé mes feux ?

— La clarté de la pleine lune suffit pour voir la route, répliqua-t-il d'un ton distant. Vos feux étaient bien éteints, vous pouvez me croire.

Sur le visage de Hawke, toute expression de tendresse avait à présent disparu. Ce doux sentiment qu'elle avait cru percevoir un instant, était-il le fruit de son imagination ? Peut-être...

Morna toucha son front d'une main tremblante.

— Vous vous sentez bien ? interrogea Hawke.

— Oui, répondit-elle dans un souffle.

Le bruit sourd de la portière se refermant sur elle la fit sursauter. Et voilà que la tête lui tournait de nouveau ! Les nerfs à vif, Morna vit Hawke traverser la route et se diriger vers sa voiture accidentée.

Pendant un instant, elle songea que cet homme imposant, énergique et redoutable, pouvait aussi se montrer compétent et délicat dans les moments difficiles.

Epuisée, elle ferma les yeux.

A quoi avait-il bien pu occuper ces dernières heures ?

L'image de Peri Carrington s'imposa soudain à son esprit. Morna se pinça les lèvres tandis qu'elle sentait son cœur se serrer douloureusement. La réponse à sa question semblait pourtant évidente. Où pouvait-il se trouver sinon entre les bras de cette jolie femme ?

Il valait mieux ne plus y penser, c'était une perte de temps bien inutile. Elle devait avant tout réfléchir à ce qui venait de se passer à la bijouterie. Et surtout aux désastreuses conséquences qui risquaient d'en découler…

Annie avait-elle vraiment oublié de brancher l'alarme ? Si c'était le cas, la compagnie d'assurance refuserait sûrement de rembourser le montant des bijoux qu'il contenait. Et il lui faudrait alors trouver l'argent nécessaire pour dédommager les clients. Ce qui signifiait emprunter. Mais à qui ? A la banque ? Morna sentit son estomac se nouer tandis qu'un sentiment de panique l'envahissait.

Si elle ne parvenait pas à obtenir cet argent, tous les bénéfices du travail acharné qu'elle avait fourni ces dernières années seraient irrémédiablement perdus.

Lorsque Hawke monta dans la voiture, Morna ne put s'empêcher de se sentir quelque peu soulagée. Elle se hâta de parler pour échapper à ses sombres pensées.

— Je vous prie de m'excuser, déclara-t-elle d'une voix sourde. Je n'aurais jamais dû oublier d'allumer mes feux malgré le clair de lune. Mais j'étais tellement pressée ! Enfin, je sais bien que ce n'est pas une excuse… De toute façon, l'essentiel est que vous ne soyez pas blessé par ma faute.

— Oui, mais vous auriez pu mourir, répliqua Hawke d'un ton glacial.

Avec ce qui lui restait de forces, Morna tenta de rétorquer aussi vivement que possible :

— Pas du tout !

— Vous plaisantez, j'espère ! Visiblement, vous n'avez pas conscience de la vitesse incroyable à laquelle vous rouliez.

Hawke mit le contact et engagea la voiture sur la route étroite.

— Où m'emmenez-vous ? demanda Morna.

— Chez un médecin.

6.

Morna tressaillit et tourna la tête en direction de Hawke. Pendant un instant, elle observa attentivement son profil viril aux lignes parfaites, éclairé par la pâle clarté de la lune.

— Mais je vous assure que tout va bien, protesta-t-elle.

— Que ça vous plaise ou non, il faut consulter un médecin. Mais au fait, pourquoi étiez-vous si pressée ?

— On a cambriolé mon magasin, annonça Morna d'un air sombre.

En s'entendant prononcer ces quelques mots, elle prit pleinement conscience de la cruelle réalité qu'ils décrivaient.

— Quoi ? Et quand est-ce arrivé ?

— La police vient de me téléphoner. Les voleurs ont défoncé la vitrine avec un véhicule, avant de dérober tout ce qui se trouvait dans la bijouterie.

Elle sentit son cœur battre plus fort lorsque Hawke lui lança un regard d'une infinie tendresse.

— Je suis sincèrement désolé pour vous, Morna.

— Hawke, il faut que je me rende au magasin au plus vite.

Elle se sentait de plus en plus fébrile. Si seulement

il pouvait cesser de se montrer aussi attentionné ! Elle risquait de se laisser submerger par l'émotion…

Comme s'il avait entendu sa silencieuse supplique, Hawke se contenta de répliquer d'un ton neutre :

— Je vous promets de vous y déposer dès que vous aurez vu un médecin.

— Mais je n'en connais aucun.

— Moi, si.

Devant une telle obstination, Morna se sentit gagnée par la colère.

— Je n'ai pas le temps ! Il faut absolument que je me rende à la bijouterie. La police m'y attend pour faire l'inventaire de ce qui a été dérobé. Et je ne peux pas vous demander de…

— Vous ne demandez rien, la coupa-t-il. C'est moi qui vous le propose.

— C'était donc une proposition ? rétorqua-t-elle. Bizarrement, j'ai cru qu'il s'agissait d'un ordre. Vous semblez ignorer que je suis capable de prendre soin de moi. Et de toute façon, je n'ai pas besoin que vous vous mêliez de mes affaires.

— En effet, vous l'avez brillamment démontré ce soir, répliqua Hawke d'un air amusé.

Comme par miracle, Morna sentit sa colère s'évanouir.

— Je déteste qu'on me dise que j'ai tort, murmura-t-elle. Surtout quand c'est vrai. D'habitude, je n'ai besoin de l'aide de personne.

— Je vous crois. Mais pour ce soir, laissez-moi m'occuper de vous, déclara Hawke.

Morna se sentait terriblement tentée d'accepter cette proposition. Et c'était bien là le pire ! Pendant huit longues années, elle avait su ne compter que sur elle-même, et voilà qu'à présent, elle éprouvait de la reconnaissance pour la compassion que lui témoignait Hawke.

Elle le vit composer un numéro sur un téléphone encastré dans le tableau de bord.

La voix ensommeillée d'une femme se fit entendre à l'autre bout du fil.

— Bonsoir, Elaine, dit Hawke d'un ton chaleureux. Désolé de te réveiller à une heure aussi tardive, mais j'ai absolument besoin de ton aide.

Tout en gardant les yeux fixés sur la route, il décrivit avec précision ce qui était arrivé.

— Amène-la immédiatement à la clinique, déclara le médecin qui semblait à présent tout à fait réveillée.

— Merci. Nous serons là dans dix minutes.

Pendant le reste du trajet, Morna, troublée, resta silencieuse.

Arrivé à Orewa, Hawke quitta la route principale pour tourner dans une avenue au coin de laquelle Morna aperçut un magnifique centre médical.

Elaine se révéla être une femme chaleureuse d'une quarantaine d'années. Après avoir demandé à Hawke de rejoindre la salle d'attente, elle ausculta Morna avec professionnalisme et délicatesse.

— Tout va bien, finit-elle par déclarer.

— J'avais bien dit à Hawke qu'il n'y avait pas de quoi s'inquiéter, observa Morna.

— Et il ne vous a pas écoutée, d'après ce que je constate.

— Je suis vraiment désolée que vous ayez dû vous lever au beau milieu de la nuit, uniquement parce que Hawke a paniqué à cause de moi.

Son interlocutrice haussa les sourcils.

— Hawke, paniquer ? Ce serait bien la première fois !

Morna sourit d'un air gêné avant de préciser :

— Je dois admettre que vous avez raison. Il n'a pas *vraiment* paniqué. Dans l'urgence, il a tout simplement décidé à ma place de ce qui semblait être le mieux pour moi. L'avez-vous déjà vu perdre le contrôle de lui-même ?

— Non, jamais. Il possède depuis longtemps un sens aigu du devoir. Son père est décédé quand il avait douze ans. Sa mère était si bouleversée que Hawke a dû faire face très tôt à des responsabilités d'adulte. Tout jeune, il avait déjà une volonté de fer.

Pendant qu'Elaine se lavait les mains, Morna réfléchissait à ce qu'elle venait d'apprendre. A présent, elle comprenait mieux l'autorité naturelle et l'étonnant esprit de décision qui caractérisaient Hawke.

— Vous semblez bien le connaître, fit remarquer Morna.

— Oui, je suis une cousine de sa mère, précisa Elaine en fermant le robinet. Hawke ne possède qu'un seul défaut : celui d'avoir rarement tort. Il a eu raison de vous amener ici. Vous auriez pu être commotionnée, sans avoir pour autant de symptômes apparents. Heureusement, ce n'est pas le cas. Allons le rejoindre à présent.

Dans la salle d'attente, Hawke regardait par la fenêtre d'un air préoccupé. Il se retourna immédiatement lorsqu'il entendit la porte s'ouvrir, et jeta à Morna un regard interrogateur.

— Elle va bien, annonça Elaine.

— Tu en es certaine ?

— Aurais-tu la prétention de m'apprendre mon métier, par hasard ? rétorqua Elaine avec un sourire affectueux.

Morna se porte aussi bien que possible après un accident. Etonnamment bien, même.

— Aller à Auckland ne va donc pas me tuer, intervint Morna d'un ton sec.

— Tout dépend de ce que vous comptez y faire, intervint Elaine.

Morna la mit rapidement au courant de la situation.

— Le mieux serait évidemment de rentrer chez vous et de vous mettre au lit, affirma Elaine. Mais vous pouvez aller à Auckland, à condition d'être prudente.

Morna et Hawke la remercièrent chaleureusement avant de quitter la clinique pour rejoindre la voiture.

— Etes-vous certaine de devoir vous rendre en ville ? demanda Hawke avec insistance. Vous avez entendu ce qu'a dit Elaine. Vous devriez vous reposer.

— Si vous ne voulez pas m'y emmener, je prendrai un taxi.

Il lui lança un regard noir avant de lui ouvrir la porte de la voiture et de l'aider à monter.

— Pourquoi est-ce que cela ne peut pas attendre ?

— C'est une question de responsabilité, vous comprenez ?

Morna avait besoin de constater de ses propres yeux que l'alarme n'avait pas été branchée.

A cette idée, elle se sentit prise de nausées. Tandis que la voiture roulait en direction d'Auckland, elle se laissa aller contre l'appuie-tête et ferma les yeux. A combien pouvait s'élever le montant des bijoux dérobés ? Après un rapide calcul, le résultat lui apparut clairement. Elle n'échapperait pas à la faillite. C'était certain.

*
* *

Frissonnant dans la fraîcheur de la nuit, Morna ne pouvait que constater l'état épouvantable dans lequel les cambrioleurs avaient laissé sa boutique.

Elle ne put retenir un juron, ce qui fit sourire Hawke. Comme pour la réconforter, il passa un bras autour de ses épaules, et Morna sentit aussitôt une sensation de chaleur naître au creux de son ventre.

Un jeune officier de police s'approcha d'eux.

— Mademoiselle Vause, si cela ne vous dérange pas, j'aimerais que vous me suiviez au commissariat. Il faut faire l'inventaire de tout ce qui vous a été dérobé. Cela ne prendra que quelques minutes.

Morna souffrait d'un terrible mal de tête, et elle avait si froid qu'elle ne sentait plus le bout de ses doigts. La fraîcheur de la nuit n'en était pas la cause, non, il s'agissait plutôt d'un froid intérieur. Dès qu'elle fermait les yeux, elle revoyait le coffre grand ouvert. Sans aucune trace d'effraction. Annie avait bel et bien oublié d'enclencher l'alarme…

Hawke fronça les sourcils.

— Allons-y, lui dit-il avec douceur.

Il ne pouvait qu'admirer le courage, le calme et la détermination dont Morna faisait preuve. Mais plus tôt ils auraient terminé, mieux cela vaudrait pour elle. La jeune femme semblait sereine, mais il lisait une profonde tristesse dans son regard, et sa voix tremblait un peu.

Il lui prit le bras et l'entraîna vers la voiture. A sa grande surprise, la jeune femme ne lui opposa aucune résistance. Avant de lui ouvrir la portière, il se tourna vers elle et observa attentivement son visage. L'éclairage blafard du réverbère faisait ressortir son extrême pâleur. Mais soudain, les rumeurs concernant Morna lui revinrent à la mémoire, et il se sentit gagné par la colère. Savait-elle que ses boucles sombres et ses vêtements noirs lui donnaient un air terriblement sexy ? Probablement.

Elle était sûrement capable de gérer la situation toute seule, après tout. Alors, pourquoi ne pas la laisser ?

Tout simplement par galanterie. Mais aussi parce qu'à chaque fois qu'il percevait ce tremblement dans la voix de Morna, Hawke sentait toutes ses défenses s'effondrer.

Jouait-elle la comédie ? Si la rumeur disait vrai, elle savait parfaitement s'y prendre pour manipuler les hommes en flattant leur ego.

Hawke était convaincu qu'il se trouvait face à une intrigante assoiffée d'argent. Et pourtant, il ne pouvait s'empêcher de ressentir pour elle un profond désir. Après tout, sa fragilité n'était peut-être pas affectée, mais bien la conséquence d'une enfance passée dans un complet dénuement.

Il secoua la tête. Dire qu'il était sur le point de se laisser abuser. Quelle incroyable naïveté !

— Allons-y, Morna, dit-il froidement.

Avant de monter en voiture, elle lui lança un regard empli de lassitude.

— Merci, Hawke, dit-elle dans un souffle.

Elle s'assit et croisa ses longues jambes avec une extrême précaution et une infinie lenteur.

Un sourire ironique apparut sur les lèvres de Hawke. Cette femme était vraiment très douée !

Il s'installa au volant et démarra sans un mot. A cet instant, il aurait donné cher pour connaître les pensées de la jeune femme. Elle se tenait droite et avait un regard lointain, les traits tirés. Ses épaisses boucles noires et soyeuses tombaient sur ses épaules comme un écrin destiné à la protéger.

Au commissariat, l'entretien avec l'officier de police ne dura que quelques instants.

Quand Morna sortit du bureau en compagnie du policier, elle aperçut Hawke en grande conversation avec un inconnu à l'allure sportive et déterminée.

Soudain, le policier lui demanda assez brusquement :

— Avez-vous confiance en votre assistante ?

— Absolument, répondit Morna avec conviction. Je suis certaine qu'elle n'a rien à voir dans tout ça.

— Dites-lui quand même de se présenter au poste. Je souhaiterais l'interroger, rétorqua l'homme.

Morna vit que Hawke regardait dans sa direction. Malgré elle, cela lui rappela cette façon qu'avait Nick de toujours savoir où se trouvait Cathy. Aussitôt, elle fronça les sourcils. Ce n'était pas le moment de laisser son imagination lui jouer des tours.

Quand elle fut de nouveau installée dans la voiture de Hawke, Morna déclara :

— Merci de m'avoir accompagnée.

— Ce n'est rien. Cela m'a donné l'occasion de revoir un ami avec qui je jouais au rugby, à l'université.

Hawke démarra. Très peu de voitures circulaient à cette heure avancée de la nuit, et ils eurent tôt fait de quitter la ville pour emprunter une route déserte qui serpentait à travers collines et vallées, et où pas une lumière ne brillait.

— Pourquoi avez-vous décidé de vous installer dans la maison de Jacob Ward ? demanda soudain Hawke. Je suis étonné que Nick et Cathy ne vous aient pas proposé de venir habiter chez eux.

— Je les aime beaucoup, mais Nick s'entête à vouloir jouer un rôle de grand frère avec moi. Et, j'aime trop mon indépendance pour vivre avec eux au quotidien.

— Croyez-vous que l'assurance vous remboursera pour le cambriolage ?

— Je n'en ai aucune idée, répondit Morna d'une voix aussi calme que possible.

Il était sans doute loin de pouvoir imaginer dans quelle situation désespérée elle se trouvait à présent. Il avait bien vu le coffre vide, mais il ne savait pas qu'il contenait des pierres précieuses et des bijoux d'une valeur inestimable.

Il ralentit un peu avant de déclarer :

— De toute façon, ça ne doit pas avoir beaucoup d'importance. Grâce à l'aide de Nick...

— Nick ne m'aide pas financièrement, le coupa Morna. Et il ne l'a jamais fait. Que serait une entreprise qui dépendrait de l'argent des amis ou des membres de la famille ? Une œuvre de charité, mais certainement pas une entreprise digne de ce nom en tout cas !

Avec une fausse désinvolture, Morna se laissa aller contre le dossier de son siège.

— Refuser toute aide, c'est une façon pour vous de prendre votre revanche ? demanda Hawke.

Morna réprima un mouvement de surprise. Comment faisait-il pour être aussi perspicace ?

— Oui, répondit-elle.

Elle se tut un instant.

— Ce cambriolage, reprit-elle, c'est un peu comme un viol.

— Je comprends.

Elle le regarda d'un air étonné.

— Il s'agit d'une entreprise que vous avez créée. C'est comme si une part de vous-même avait subi une agression.

Ainsi, il la comprenait ! Morna n'en revenait pas.

— Qu'est-ce qui vous a poussée à créer des bijoux ? demanda-t-il encore.

— Oh, cela s'est fait naturellement. Nick a toujours considéré que j'avais un réel talent dans ce domaine, tout comme...

Elle ne put terminer sa phrase. Glen aussi avait admiré sa créativité, mais il s'était toujours opposé à ce qu'elle entreprenne des études de dessin.

— Vous avez grandi avec Nick, n'est-ce pas ?

— Oui... Quand j'ai eu sept ans, je suis allée vivre chez les Harding. Ils m'ont... recueillie.

Il n'en demanda pas plus. D'ailleurs, elle n'avait pas l'intention d'en dire davantage. Pourquoi parler de sa mère et de ses amants de passage ? Pourquoi lui raconter la violence, le désespoir, les revendeurs de drogue dans les escaliers ? Comment aurait-il pu comprendre cela, lui qui avait toujours connu une existence privilégiée et vécu dans l'opulence ?

— Ceci dit, vous n'avez pas complètement répondu à ma question, reprit Hawke. Comment êtes-vous devenue créatrice de bijoux ?

Elle haussa les épaules.

— J'ai beaucoup travaillé pour mes examens. C'est tout.

Hawke lui lança un regard en coin. Tout en elle indiquait qu'elle se tenait en ce moment sur la défensive : ses mains soigneusement croisées sur ses genoux, ses longues jambes serrées l'une contre l'autre.

Une image lui revint à la mémoire : celle de Morna à la réception des Harding, voluptueusement allongée sur une chaise longue. Ses jambes superbes, dorées par le soleil, sa taille fine, ses épaules rondes, sa poitrine aux formes parfaites et si attirantes.

Il sentit une vague de désir monter en lui. Pourtant, il était clair que cette femme n'avait pas hésité à se servir de ses charmes pour parvenir à ses fins ! Comment pouvait-il l'oublier au point d'être attiré par elle avec une telle intensité ? Il se sentait furieux contre lui-même.

Sans s'en apercevoir, Morna avait fini par sombrer dans un demi-sommeil. Lorsque la voiture s'arrêta, elle ouvrit les yeux mais fut incapable de reconnaître immédiatement l'endroit où ils se trouvaient.

— Où sommes-nous ? demanda-t-elle d'une voix ensommeillée.

— A l'entrée du club, répondit Hawke. A présent, vous devez prendre une décision.

— Qu'entendez-vous par là ?

L'imposante grille d'entrée en fer forgé était encadrée par deux lampadaires magnifiquement ouvragés, dont la lumière éclairait le visage de Hawke.

Il lui lança un regard en coin avant d'ajouter :

— Soit vous passez le reste de la nuit ici, soit nous allons chez vous. Mais ne comptez pas sur moi pour vous laisser seule cette nuit.

— Je vous demande pardon ? s'exclama Morna.

— A vous de choisir.

Hawke leva la main et caressa la joue de la jeune femme.

— Vous n'êtes pas encore en état de rester seule, expliqua-t-il. C'est bien naturel après tout ce que vous venez de subir. Alors, que décidez-vous ?

— Ramenez-moi à la maison, répondit-elle, tout en pensant qu'il serait plus facile de se débarrasser de Hawke une fois chez elle.

Un sourire ironique apparut sur les lèvres de Hawke. Sans un mot, il redémarra la voiture.

Morna se sentait de plus en plus mal à l'aise.

— Il faut que j'appelle un dépanneur, déclara-t-elle avec inquiétude. Ma voiture est restée au beau milieu de la route, ça pourrait provoquer un accident.

— Ne vous en faites pas. Votre véhicule a été enlevé depuis longtemps.

Elle se tourna brusquement vers lui, tandis que Hawke ajoutait avec calme :

— J'ai fait le nécessaire pendant qu'Elaine vous examinait.

Morna inspira profondément. Puis elle déclara avec une certaine raideur :

— Merci pour tout ce que vous avez fait pour moi ce soir.

— Vous m'avez déjà remercié. Et ce n'est pas nécessaire.

Avait-elle bien perçu une légère ironie dans sa voix ? Avec suspicion, elle l'observa du coin de l'œil. Mais le visage de Hawke demeurait impassible.

Lorsque Morna descendit de la voiture, la fraîcheur de la nuit la fit frissonner. Epuisée, elle chancela en refermant la portière.

— Tout va bien, Morna ?

— Oui, affirma-t-elle d'un ton aussi convaincu que possible. J'ai un peu froid, c'est tout.

Parvenue à la porte d'entrée, elle se tourna vers Hawke avant de déclarer :

— Il va bientôt faire jour. Je vous assure que vous pouvez rentrer chez vous, Hawke.

— Il n'en est pas question.

— Je vous répète que je n'ai besoin ni d'infirmier ni de garde malade. Et je vous promets de vous appeler dès demain matin.

— Morna, je n'ai pas l'intention de vous laisser seule ici.

— Vous ne pouvez pas rester chez moi… Il n'y a qu'un seul lit dans la maison.

— Eh bien, j'espère qu'il est assez grand, répliqua Hawke d'un ton laconique, tout en lui prenant la clé des mains.

Ebahie, Morna le regarda ouvrir la porte et pénétrer dans la maison.

Après quelques instants, Hawke trouva l'interrupteur et éclaira le salon.

— Entrez donc, vous tremblez de froid, dit-il en se tournant vers elle.

La jeune femme resta immobile avant de déclarer avec rage :

— Mais qu'est-ce qui vous permet de croire que vous avez le droit de coucher avec moi parce que vous m'avez aidée ? S'il n'y a que ça qui vous intéresse, je vous enverrai un chèque en guise de dédommagement. Avec cet argent, vous pourrez vous payer les services d'une vraie professionnelle. Comme ça, nous serons quittes.

Hawke lui jeta un regard noir.

— Comment pouvez-vous être aussi terre à terre ? Et puis, je vous avais laissé le choix. Peut-être aurais-je dû préciser que mon domicile comprenait plusieurs chambres. De toute façon, vous n'êtes pas en état de rester seule. Vous tenez à peine debout.

— Rentrez chez vous, répondit Morna d'un ton las mais déterminé.

Pendant quelques instants, un silence électrique s'installa.

— Décidez-vous, déclara enfin Hawke. Soit je reste ici, soit je vous ramène chez moi.

— A l'heure qu'il est, on risque de nous voir rentrer ensemble au club, et le bruit circulera que nous avons passé la nuit ensemble. Or, je refuse qu'on puisse penser que je suis votre maîtresse.

— Je suis étonné que cela vous dérange, observa Hawke. Quant à moi, je me moque éperdument de ce que les autres peuvent imaginer.

Malgré son indignation, Morna se sentait envahie par une profonde lassitude.

— Je ne suis pas comme vous, fit-elle simplement remarquer.

Hawke haussa les épaules.

— Ne me dites pas que vous craignez le qu'en-dira-t-on. Allons, Morna, décidez-vous.

Elle jeta un regard à Hawke. De toute évidence, il était déterminé à rester auprès d'elle.

— Très bien. Nous irons donc chez vous, puisqu'il le faut.

7.

Hawke avait gagné. Mais il se garda bien de montrer le moindre signe de satisfaction. Cela aurait poussé Morna à revenir sur sa décision, il en était persuadé.

— Souhaitez-vous emporter quelques affaires ? demanda-t-il d'un ton neutre.

L'air mécontent, Morna hocha la tête. Elle pénétra à son tour dans la maison sans un regard pour Hawke, puis se dirigea vers la chambre. A la hâte, elle attrapa un long T-shirt, quelques vêtements et produits de beauté, qu'elle jeta pêle-mêle dans un sac de voyage.

Puis, ils repartirent sans un mot.

Hawke vivait dans une somptueuse demeure qui présentait un contraste frappant avec la maison de Morna à l'aspect si rustique. Située à quelques mètres de la plage, elle était entourée de splendides palmiers dont les larges feuilles bruissaient dans la brise légère.

A l'intérieur, Morna admira la décoration au luxe discret et apaisant.

Epuisée, elle ne put retenir un bâillement tandis qu'elle suivait Hawke le long d'un couloir spacieux. Il s'arrêta et ouvrit une porte.

— Voici la chambre d'amis. Vous dormirez ici.

Morna observa le mobilier et les murs, dont les couleurs

harmonieuses formaient un subtil dégradé de marron, de beige et de blanc. Puis, son regard s'arrêta sur l'immense lit qui trônait au centre de la pièce.

— Dormez bien, Morna. Si vous avez besoin de quoi que ce soit, n'hésitez pas à me le faire savoir.

Une fois seule dans la chambre, elle se dirigea vers la salle de bains attenante. Après avoir enfilé un long T-shirt, elle s'allongea avec volupté sur le lit moelleux. A peine avait-elle remonté les draps sur elle qu'elle sombrait dans un profond sommeil.

Prisonnière d'images douloureuses et d'émotions insupportables, Morna tentait vainement de s'en échapper. Elle était en plein cauchemar et ne parvenait pas à se réveiller.

Soudain, elle se sentit enveloppée de chaleur et ressentit un extraordinaire sentiment de sécurité.

— Réveillez-vous, déclara une voix masculine, à la fois grave et sensuelle.

Morna sentit une main lui caresser doucement les cheveux.

— Réveillez-vous, ce n'est qu'un cauchemar. Je suis là. Ne vous inquiétez pas.

— Hawke ? murmura-t-elle, tandis que ces effroyables images s'évanouissaient enfin, vaincues par la présence réconfortante de cet homme, par le contact de son corps musclé d'où émanait une force si rassurante.

Faisant un effort pour ouvrir les yeux, Morna tenta d'arrêter les larmes qui coulaient encore sur ses joues. Hawke se tenait assis au bord du lit et l'entourait de ses bras. A peine pouvait-elle distinguer son visage. Mais la pâle lumière qui filtrait entre les rideaux lui indiquait que le jour était déjà levé.

— Quelle idiote ! dit-elle d'une voix sourde.

Morna sentit la poitrine de Hawke se soulever, et comprit qu'il était en train de rire. Mais elle sentait toujours la caresse de sa main sur ses cheveux.

— Là, je suis entièrement d'accord avec vous, observat-il d'un air amusé. Pleurer à cause d'un cauchemar ne convient pas à votre image. Mais ne craignez rien, personne ne saura que vous vous réveillez ainsi...

Hawke plissa les yeux et approcha sa main du visage de Morna. Du bout de l'index, il toucha délicatement le coin de sa bouche.

— Voilà un petit creux très érotique, déclara-t-il d'une voix rauque, où tout humour avait à présent disparu.

Morna leva la tête. Et elle rencontra ce regard d'un vert si intense, où se lisait un profond désir. Hawke était torse nu, et la chaleur de sa peau mate la troublait terriblement.

Soudain, une pensée lui traversa l'esprit. S'imaginaitil qu'elle se trouvait à sa merci parce qu'elle était chez lui ?

En un éclair, Morna se dégagea de son étreinte, se leva d'un bond et s'éloigna du lit. Puis, elle observa fixement Hawke d'un air accusateur.

Vêtu d'un simple pantalon de pyjama, il restait nonchalamment assis sur le lit.

— Je suis vraiment désolée de vous avoir réveillé, ditelle d'un ton neutre.

— Vous rappelez-vous votre cauchemar ? Pourquoi étiez-vous si effrayée ?

Le ton de sa voix restait dangereusement sensuel. Morna serra les poings. Elle ressentait une terrible envie de laisser ses doigts courir sur le torse splendide de cet homme si attirant.

— Je ne me souviens plus des détails, répondit-elle, tandis qu'elle sentait un désir de plus en plus intense monter en elle.

— C'est ce qui arrive souvent avec les cauchemars, fit-il remarquer en se mettant debout.

Morna serra les bras contre sa poitrine.

— Merci d'être venu me réveiller, en tout cas.

Un sourire se dessina sur les lèvres sensuelles de Hawke.

— Vous réveiller sera toujours un plaisir et un privilège, ma chère Morna.

Quelque chose dans sa voix la fit frissonner de la tête aux pieds.

Rassemblant tout son courage, Morna respira profondément avant de déclarer d'un ton sec :

— Il est temps que je rentre chez moi. Ne vous dérangez surtout pas. Je partirai à pied.

— Mais on risque de vous voir, et les médisances vont se répandre comme une traînée de poudre, répliqua Hawke d'un ton sarcastique. La nuit dernière, c'est justement ce que vous souhaitiez éviter. Habillez-vous donc. Ensuite, nous prendrons le petit déjeuner.

— Mais je…

Les mots moururent sur ses lèvres tandis que Hawke l'attirait vers lui. Il saisit les bras de Morna et les maintint fermement croisés derrière son dos.

Incapable de se dégager, elle l'entendit prononcer d'une voix rauque :

— Vous me devez des excuses, à présent.

— Mais pas du tout, répliqua-t-elle, stupéfaite. La nuit dernière, vous avez dit que je ne vous devais rien.

— Eh bien, j'ai changé d'avis. Comment avez-vous pu m'accuser de vouloir profiter de la situation pour coucher avec vous ? C'était un coup bas.

— Vous avez raison, reconnut Morna en rougissant. Je n'aurais pas dû vous dire ça.

— Et vous croyez qu'il suffit de vous excuser ? Vous m'avez profondément blessé, dit Hawke avec gravité.

— Blessé ! Vous ? s'exclama-t-elle, interloquée.

Lorsque Hawke baissa la tête vers elle, Morna se sentit profondément troublée.

— Je vous ramènerai chez vous après le petit déjeuner, dit-il.

— Merci. Mais je préfère rentrer chez moi tout de suite. Ensuite, je dois prendre le bus pour Orewa, y louer une voiture et me rendre à Auckland.

Il haussa les sourcils.

— Dans ce cas, allons-y.

Une fois Hawke sorti de la chambre, Morna se précipita dans la salle de bains. Après une toilette rapide, elle s'habilla, et ouvrit les rideaux.

Elle aperçut une cour magnifique au milieu de laquelle se trouvait une piscine, dont l'eau verte offrait un splendide contraste avec la couleur sombre des sièges de bois qui l'entouraient. De flamboyants hibiscus, des frangipaniers aux fleurs odorantes et des palmiers aux larges feuilles d'un vert profond complétaient ce décor paradisiaque.

Morna poussa un léger soupir.

— Allons. Il faut y aller, dit-elle à voix haute pour se donner du courage. Même si la journée promet d'être difficile.

Elle attrapa son sac et sortit de la chambre, avant de se diriger vers le salon. Elle y admira la décoration qui consistait en un subtil assemblage de meubles modernes et anciens.

De l'autre côté de la pièce, une porte s'ouvrit soudain et Hawke apparut.

— Comment vous sentez-vous ? demanda-t-il en l'observant attentivement.

— Bien, merci, répondit-elle.

Voulait-il parler de l'accident de la veille ou de leur relation tumultueuse ?

— Laissez-moi vous aider, dit-il en prenant son sac.

Morna le suivit en direction du jardin. Elle fut frappée par la splendeur des palmiers qui l'entouraient, par la beauté des bougainvilliers qui formaient de somptueuses cascades de fleurs aux teintes mauve et écarlate.

Mais ce qui la troublait par-dessus tout, c'était la présence de Hawke à ses côtés.

Seigneur, comment exorciser ce désir obsédant une bonne fois pour toutes ? se demanda-t-elle. Et soudain, la solution lui apparut, claire et évidente. Pour cesser de désirer cet homme, il fallait qu'ils deviennent amants.

Mais il y avait Peri Carrington. Hawke l'aimait-il vraiment ? Avait-il l'intention de l'épouser ? Si c'était le cas, Morna ne s'abaisserait jamais à devenir sa maîtresse.

Mais comment connaître la vérité ? Elle ne pouvait tout de même pas se permettre d'interroger Hawke directement...

La voiture s'arrêta soudain. Lorsqu'elle leva la tête, Morna se rendit compte qu'ils se trouvaient déjà devant chez elle.

— A quelle heure devez-vous partir à Orewa ? demanda Hawke. Je peux vous y emmener.

— Non, merci. Je ne voudrais pas abuser de votre aide.

Un sourire ironique apparut sur les lèvres de Hawke tandis qu'il sortait de la voiture pour ouvrir le coffre où se trouvaient les affaires de Morna.

— Puis-je me permettre d'insister ? Ce sera pour moi un plaisir, déclara-t-il d'un ton légèrement sarcastique. De toute façon, je dois me rendre à Orewa aujourd'hui. Au fait, lorsque vous contacterez votre compagnie d'assurance, dites-leur bien que vous me connaissez.

La compagnie d'assurance... A ces mots, Morna sentit son estomac se nouer.

Après avoir ouvert la porte d'entrée, elle se tourna vers Hawke et se contenta de dire simplement :

— Merci pour tout.

— Avez-vous l'intention de contacter Nick ?

Mal à l'aise, Morna baissa les yeux.

— Nick et Cathy sont partis à l'étranger. Et de toute façon, il n'est pas dans mes habitudes de l'appeler au secours dès que je rencontre un problème.

Elle se força à sourire.

— Et puis, à présent qu'il est marié, son devoir est de s'occuper avant tout de sa femme.

Hawke plissa les yeux.

— Le devoir... Vous y attachez beaucoup d'importance ?

— Mais qui ne le fait pas ? répondit-elle en haussant légèrement les épaules.

Un sourire légèrement sarcastique se dessina sur les lèvres de Hawke.

— Oui, je suppose que vous avez raison.

Il jeta un coup d'œil à sa montre, avant d'ajouter :

— Bon, je viendrai vous chercher dans une heure.

Une fois qu'il fut parti, Morna se sentit littéralement épuisée. Comme s'il avait emporté avec lui toute l'énergie qu'elle avait su préserver jusque-là.

Or, il lui faudrait être forte pour cette journée qui promettait d'être terriblement éprouvante. Elle devait d'abord téléphoner à ses clients pour les prévenir du cambriolage, et surtout, apprendre à Babs Pickersgill que l'inestimable collier de sa mère avait disparu... Sans parler des assureurs qu'elle allait devoir affronter, et qui avaient une excellente raison de refuser de lui donner le moindre centime en compensation des bijoux volés !

Il lui faudrait alors trouver elle-même l'argent nécessaire pour rembourser ses clients. Mais comment ?

8.

Comme promis, Hawke revint chercher Morna pour l'emmener à Orewa. Il plissa les yeux lorsqu'elle s'assit à ses côtés dans la voiture.

— Avec une telle tenue, votre assureur ne pourra rien vous refuser, déclara-t-il enfin, tandis que la Range Rover montait la côte avec une insolente facilité.

— Que voulez-vous dire ? demanda Morna, interloquée.

— Une veste de tailleur très ajustée, de longues jambes moulées dans un pantalon noir sexy, des hauts talons et des lèvres vermeilles : quel homme pourrait vous résister ?

— Mon Dieu ! s'exclama-t-elle, tout à la fois contrariée et charmée par les paroles de Hawke. Et moi qui croyais m'être habillée comme une vraie femme d'affaires !

En voyant Hawke éclater de rire, Morna se sentit profondément vexée.

— Vous êtes parfaite telle que vous êtes, voulut-il la rassurer.

Morna hocha la tête en souriant. Puis, elle fit mine de s'absorber dans le paysage qui défilait sous ses yeux.

En se préparant, tout à l'heure, elle s'était rendu compte à quel point devenir la maîtresse de Hawke aurait été une erreur. Pour y avoir seulement songé, il fallait que les événements de la nuit aient perturbé son esprit ! A moins qu'elle n'ait été troublée par la gentillesse inattendue dont Hawke avait fait preuve à son égard ?

Quand ils furent à Orewa, Morna descendit de voiture et tendit la main à Hawke.

— Merci de m'avoir déposée.

— Je vous en prie, répliqua-t-il, l'air moqueur, tout en prenant sa main et en l'effleurant d'un baiser.

Furieuse et troublée, Morna se dégagea d'un geste vif. Puis, elle tourna rapidement les talons pour se diriger vers l'agence de voitures de location. La profonde colère qui s'était emparée d'elle n'avait toujours pas disparu, tandis qu'elle conduisait en direction d'Auckland et de sa bijouterie.

Pour ne rien arranger, la journée s'avéra aussi éprouvante qu'elle l'avait redouté. Elle dut appeler ses clients les uns après les autres, et supporter avec stoïcisme leur colère ou leur chagrin devant la disparition de leurs bijoux.

Puis, il lui fallut accueillir l'expert en assurance.

Lorsqu'il fut parti, Morna ferma les yeux, submergée par l'angoisse. Il s'était montré aimable mais catégorique : la compagnie d'assurance ne rembourserait probablement rien, puisque l'alarme n'avait pas été branchée.

La jeune femme leva la tête lorsque son assistante lui apporta le courrier.

— Tout se passe bien de l'autre côté, Annie ?

Quelques ouvriers étaient en train de réparer la vitrine de la bijouterie.

— Oui, j'en ai l'impression, répondit son assistante, visiblement mal à l'aise.

Elle hésita quelques instants avant de poursuivre :

— La police semble croire que j'aurais pu débrancher l'alarme volontairement.

— Je sais, répondit Morna. Mais je sais aussi qu'ils font fausse route.

Annie lui adressa un regard plein de reconnaissance avant d'ajouter d'une voix tremblante :

— Rassurez-vous, vous n'aurez pas besoin de me renvoyer. Je vous donne ma démission.

— Ne soyez pas stupide. Pourquoi voudrais-je vous renvoyer ? Moi aussi, il m'est arrivé de partir en oubliant de brancher l'alarme !

— Merci, Morna. Si vous saviez comme je m'en veux !

— Arrêtez donc de vous torturer. Ça ne sert à rien.

— Heureusement que vous avez une bonne assurance, dit Annie l'air un peu plus rassuré.

— On va s'en sortir, affirma Morna d'un ton aussi ferme que possible.

Devait-elle prévenir Annie que la bijouterie n'existe-rait peut-être bientôt plus ? Elle décida de ne rien dire tant qu'elle n'aurait pas tout tenté pour se sortir de cette périlleuse situation.

La sonnette du magasin retentit soudain.

— Allez-y, dit Morna en souriant. Et persuadez ce client de nous commander un bijou hors de prix !

Une fois seule dans son atelier, la jeune femme se mit à parcourir le courrier. Elle fronça les sourcils en aper-cevant une lettre de son avocat.

— Qu'est-ce qui se passe encore ? s'exclama-t-elle en décachetant nerveusement l'enveloppe.

Elle relut la lettre plusieurs fois avant de se précipiter sur le téléphone.

— Pourrais-je parler à Me Partridge, s'il vous

plaît ? demanda-t-elle à la secrétaire qui venait de lui répondre.

Après quelques secondes, Morna entendit la voix de son avocat à l'autre bout du fil.

— Je pensais bien que vous me contacteriez, affirma-t-il.

— Que se passe-t-il ? Je n'y comprends rien.

— L'exécuteur testamentaire de Jacob Ward voudrait prouver de façon irréfutable que le fils de son client est bien décédé. Et c'est seulement ensuite qu'il décidera de régler définitivement la succession de M. Ward.

— Mais Jacob était persuadé que son fils avait été tué quelque part en Afrique.

— Malheureusement, une intime conviction ne peut servir de preuve devant la loi.

— Nous devons éclaircir cette affaire, déclara Morna. S'il existe la moindre chance pour que le fils de Jacob soit encore en vie, il est hors de question que Tarika Bay me revienne.

— Ne vous emballez pas ! répliqua l'avocat avec surprise. Attendons simplement que l'exécuteur testamentaire nous apporte la preuve qu'il recherche, si toutefois il y parvient. C'est ce qu'il y a de mieux à faire, croyez-moi.

Après avoir raccroché, Morna relut la lettre. Si le fils de Jacob était vivant, la maison de son père lui appartiendrait aussi...

L'estomac noué, Morna prit rendez-vous avec son banquier, avant de se remettre au travail avec courage. Même si la faillite menaçait, rien ne devait l'empêcher d'honorer ses dernières commandes...

*
* *

112

L'entretien avec le banquier se passa plutôt bien. Certes, il n'avait pas consenti à lui prêter l'argent dont elle avait besoin, mais il avait promis d'étudier son dossier.

En rentrant chez elle au volant de sa voiture de location, Morna se jura de tout faire pour ne jamais revivre une journée semblable à celle-là.

En arrivant, elle aperçut la Range Rover de Hawke garée devant chez elle, mais personne ne se trouvait à l'intérieur. Soudain, Morna le vit apparaître au coin de la maison, à quelques mètres d'elle.

— Mauvaise journée, n'est-ce pas ? demanda-t-il en venant vers elle.

Elle haussa les épaules sous son chemisier de soie blanche.

— Plutôt, en effet.

Elle ne fit pas mine d'ouvrir la porte, ni de rentrer dans la maison.

— J'ai apporté de quoi dîner, lança Hawke.

— En quoi cela me concerne-t-il ? rétorqua-t-elle.

— Pourquoi êtes-vous toujours en colère ? Parce que ce matin, je me suis permis de critiquer votre tenue ?

— Non, vous vous êtes excusé.

— Pourtant, vous auriez raison de m'en vouloir. Je me suis conduit comme un mufle. Mais vous provoquez en moi un tel désir que je ne peux supporter l'idée qu'un autre homme soit attiré par vous.

Ebahie, Morna l'observa quelques secondes avant de déclarer d'un air incrédule :

— Je crois que je ne vous ai pas bien compris...

— Au contraire, vous savez parfaitement de quoi je parle, répliqua-t-il avec un sourire. C'est une situation assez désagréable pour moi... Mais, je n'y peux rien.

— Je... je ne suis pas certaine de..., murmura-t-elle sans parvenir à terminer sa phrase.

— Vous ressentez la même chose que moi, Morna, je le sais.

Morna fit mine de chercher les clés dans son sac à main.

— Bien sûr, enchaîna Hawke, nous pouvons aussi adopter votre façon de voir les choses.

Elle ne put s'empêcher de lever brusquement les yeux vers lui.

— Quelle façon de voir les choses ?

Hawke lui lança un regard moqueur.

— Il suffirait de prétendre que nous ne sommes pas attirés l'un par l'autre. Et avec un peu de chance, nous finirons par croire à notre mensonge. Mais curieusement, je n'ai pas l'impression qu'il s'agisse là d'une solution très efficace.

Devant le silence obstiné de Morna, il poursuivit :

— Et vous, qu'en pensez-vous ?

— Je n'ai pas pour habitude de convoiter l'amant d'une autre femme, rétorqua-t-elle tout en ouvrant la porte.

— Et moi, je n'ai pas pour habitude d'être infidèle, répliqua Hawke d'un ton glacial. Peri n'est pas ma maîtresse, c'est la fille d'un de mes plus vieux amis, et je la connais depuis sa plus tendre enfance. Elle essaie son charme sur moi parce qu'elle sait qu'elle n'a rien à craindre, que je n'abuserai jamais de la situation. Peut-être versera-t-elle une ou deux larmes quand je lui dirai que nous devons en rester là, mais je vous assure qu'il n'y a rien de sérieux entre elle et moi.

Morna fit face à Hawke.

— Pourquoi me racontez-vous ça ?

— Pour que les choses soient claires entre nous.

Elle sentait émaner de lui une force et une volonté implacables.

— Il n'y a rien de compliqué dans cette affaire, poursuivit-il. Nous éprouvons du désir l'un pour l'autre, c'est tout.

— Etes-vous toujours aussi direct ? interrogea-t-elle d'un air méfiant.

— Je ne vois pas l'intérêt de passer par quatre chemins.

— Mais pour faire quoi, exactement ?

Hawke haussa les sourcils.

— Allons, Morna, ne jouez pas les ingénues.

Elle sentit la colère la gagner. Croyait-il qu'il n'était pas nécessaire de se montrer romantique avec elle ? Qu'elle était une femme facile ?

— Vous avez une façon très directe de présenter les choses, rétorqua-t-elle d'un ton sec.

Une lueur dangereuse passa dans le regard de Hawke.

— Je vous laisse la liberté de dire oui ou non, sans vouloir vous influencer. Auriez-vous préféré que je cherche à vous séduire à coup de fleurs ou de cadeaux ? Peut-être que oui, après tout. Comme cela, vous auriez pu ensuite prétendre que je vous avais fait perdre la tête, et que vous n'étiez plus vous-même.

Morna tressaillit sous l'insulte. C'était exactement ce que Glen avait fait, il l'avait conquise en lui offrant de somptueux dîners et de splendides bijoux. Mais tout cela n'avait été que mensonges et illusions...

— Vous savez, je me contente de me montrer honnête.

Ainsi, il lui proposait un accord franc et loyal, un accord entre deux adultes choisissant librement d'assouvir le désir qu'ils ressentaient l'un pour l'autre. Il ne lui parlait pas d'amour, bien sûr. Et puisqu'elle non plus ne l'aimait pas, elle était certaine de ne pas souffrir lorsqu'ils se sépareraient. Alors, pourquoi hésiter ?

Elle regarda Hawke droit dans les yeux.

— Je suis d'accord, dit-elle.

— D'accord pour quoi, exactement ?

— Disons que moi aussi, je préfère l'honnêteté.

Pendant quelques instants, ils restèrent face à face sans prononcer un mot. Puis, Hawke attira Morna vers lui et la serra entre ses bras.

— Vous faites surgir en moi des instincts peu avouables, déclara-t-il d'une voix tendue. Je vous ai désirée dès l'instant où j'ai posé les yeux sur vous. Toutes les nuits, vous hantez mes rêves, et chaque matin je me réveille terriblement déçu de ne pas vous trouver endormie à mes côtés. J'aime vous parler, j'aime votre vivacité d'esprit. Je voudrais vous connaître davantage, Morna.

— Je ne suis pas de celles qui se dévoilent facilement.

— Je sais attendre. Et je suis sérieux en vous disant ça. Pour moi, le mot fidélité a un sens.

— Moi aussi, je crois en la fidélité, murmura-t-elle.

Lorsque Hawke pencha la tête pour l'embrasser avec fougue, Morna lui rendit son baiser avec la même ardeur. Comme si toutes les barrières entre eux étaient à présent tombées.

— Vous êtes trop habillée à mon goût, lui murmura-t-il à l'oreille.

Puis, avec un sourire extrêmement sensuel, il se mit à déboutonner lentement son chemisier de soie. Quand il eut fini, Morna s'empressa à son tour de défaire, d'une main tremblante, les boutons de la chemise de Hawke.

116

A présent torse nu, il se recula pour poser les yeux sur la poitrine de Morna, qui sentit ses seins pointer sous la fine dentelle de son soutien-gorge.

— Vous êtes magnifique, dit-il d'une voix rauque. Et je me sentirai déshonoré jusqu'à la fin de mes jours si je ne vous fais pas l'amour tout de suite.

Il dégrafa le soutien-gorge de la jeune femme d'un geste rapide et précis. Puis, il la souleva dans ses bras et la porta jusqu'à la chambre, jusqu'au lit, où il la déposa délicatement.

Morna observa Hawke tandis qu'il finissait de se dévêtir. Lorsque son corps d'athlète, nu et splendide, apparut sous ses yeux, elle sentit toute raison la quitter. Une vague de désir d'une violence inouïe la submergea.

— Je croyais qu'une telle beauté n'était réservée qu'aux dieux grecs, murmura-t-elle.

— La beauté n'appartient qu'aux femmes…

— Vous êtes la preuve du contraire.

Un sourire gentiment moqueur flotta un instant sur les lèvres de Hawke. Mais lorsque Morna l'attira vers elle, son visage redevint grave pour exprimer le désir le plus intense.

Il s'allongea à côté d'elle et se mit à l'embrasser avec une passion brutale. Quand il s'écarta d'elle en étouffant un juron, Morna ouvrit les yeux d'un air étonné.

— Je ne suis pas en porcelaine, ne craignez rien, murmura-t-elle.

Mais Hawke posa lentement un doigt sur la bouche de Morna, et caressa le contour de ses lèvres avec une infinie délicatesse. N'écoutant plus que son désir, elle laissa courir ses doigts sur le corps de Hawke, avant de déposer d'ardents baisers sur son torse musclé. Quand elle l'entendit gémir de plaisir, elle sentit un bonheur fou l'envahir.

Effrayée par la violence de ses émotions, elle serra instinctivement ses cuisses l'une contre l'autre, dans une tentative désespérée de lutter contre le désir qui l'envahissait. Ce n'était pas ainsi que les choses auraient dû se passer. Pourquoi ne pouvait-elle reprendre le contrôle d'elle-même ? Morna se sentait littéralement subjuguée par les caresses expertes et les baisers sensuels de cet homme.

Elle soupira de plaisir quand Hawke se mit à embrasser sa poitrine. Et quand il s'arrêta pour lui ôter sa jupe, elle fut envahie par une frustration presque intolérable.

Hawke frissonna en contemplant Morna. Elle était si belle, ainsi allongée sur le lit, ses splendides boucles noires étalées sur les draps d'une blancheur immaculée… Elle demeurait immobile, comme prisonnière de son propre désir.

— Je t'ai déjà vue ainsi dans mes rêves, Morna.

Lorsqu'elle battit des paupières, Hawke comprit qu'il avait lui aussi peuplé les rêves de la jeune femme.

Il se pencha vers elle et déposa une pluie de baisers sur son ventre avant de lui écarter délicatement les cuisses.

— Tu ressembles à une jeune vierge, déclara-t-il, l'air grave.

— Et à quoi ressemble une jeune vierge ? demanda Morna, d'une voix tremblante.

— A quelqu'un qui manque d'assurance… mais qui possède la séduction de l'innocence… une séduction qui va bien au-delà du désir, déclara Hawke.

En entendant ces mots, Morna sentit naître en elle une joie immense : elle venait de lire plus que de la passion physique dans le regard de Hawke.

Alors, elle s'offrit à lui, de tout son corps, de tout son cœur. Seul existait désormais le désir de faire l'amour avec cet homme, auquel elle voulait appartenir tout entière.

9.

Morna poussa un gémissement de plaisir, et se pressa contre Hawke.

— Ça va ? demanda-t-il avec un regard où brûlait un désir sauvage.

— Oh oui…, murmura-t-elle.

Il la pénétra enfin, et Morna s'abandonna totalement à l'étreinte passionnée de Hawke, tandis que des vagues d'un plaisir de plus de plus aigu montaient en elle. Jusqu'à cette dernière vague dont l'intensité extrême lui fit atteindre ce lieu hors du temps, où seul le plaisir règne en maître.

Presque au même instant, Hawke la rejoignit dans l'extase.

Epuisés, silencieux, ils recouvraient leurs esprits lentement ; les battements de leurs cœurs se calmaient peu à peu.

Lorsque Hawke voulut se lever, Morna le retint serré contre elle.

— Non, Hawke. Ne bouge pas, reste là.

— Mais je ne veux pas t'écraser, déclara-t-il d'une voix sourde.

— Je ne suis pas si fragile.

— Je ne veux pas risquer de te faire mal.

Avant qu'elle ait pu protester, Hawke s'était déjà relevé

et allongé à côté d'elle. Il entoura les épaules de Morna de son bras pour l'attirer vers lui.

La tête appuyée sur l'épaule rassurante de Hawke, Morna s'émerveillait des instants extraordinaires qu'elle venait de vivre entre les bras de Hawke.

Puis, le corps libre de toute tension, elle sombra dans un profond sommeil.

Lorsqu'elle se réveilla, Morna entendit un bruit de vaisselle dans la cuisine. Elle se leva à la hâte, enfila un jean et un pull ample, et se mit un peu de gloss sur les lèvres, avant de se diriger vers la cuisine avec une certaine appréhension.

Quand elle entra dans la pièce, Hawke se tourna vers elle avec un large sourire.

— Tu as l'air reposé, déclara-t-il tout en lui tendant une coupe de champagne. Tu te sentiras mieux après avoir mangé quelque chose.

Comment pouvait-il se montrer si décontracté, alors qu'elle-même ne pouvait s'empêcher de se sentir mal à l'aise ? Mais après tout, il avait sûrement l'habitude de ce genre de situations...

Morna tendit la main pour saisir la coupe de champagne qu'il lui offrait. Le rouge lui monta aux joues lorsque Hawke se pencha pour l'embrasser.

— Tu es délicieuse, murmura-t-il avec un sourire sensuel.

— Ce champagne l'est aussi, déclara Morna d'un ton mal assuré, en lui rendant son sourire.

— Je suis heureux que tu l'apprécies, affirma-t-il, tout en se retournant pour remuer un plat qui mijotait sur la cuisinière.

Morna jeta un coup d'œil sur la table, où se trouvaient

120

déposés toutes sortes de mets, plus appétissants les uns que les autres.

— Ce n'est pas toi qui as cuisiné ce fabuleux repas, je présume ? demanda-t-elle.

Hawke éclata de rire.

— Tu as deviné. Mes compétences culinaires sont plus que limitées, et j'ai donc demandé au chef du club de se surpasser pour nous ce soir. J'espère ne pas avoir trop baissé dans ton estime après ce terrible aveu d'incompétence.

Comment un homme si sûr de lui pouvait-il s'inquiéter de ce qu'elle pensait de lui ? se demanda-t-elle.

— Je suis trop affamée pour me soucier de savoir qui a cuisiné ce que je vais déguster, répondit Morna en souriant.

Le dîner fut fantastique. Morna finissait sa salade de crabe, lorsque Hawke se laissa aller contre le dossier de sa chaise, avant de demander :

— Alors, vas-tu enfin me dire pourquoi tu as choisi de devenir joaillier ?

Morna le regarda droit dans les yeux avant de répondre avec une totale sincérité :

— Aussi loin que je me souvienne, j'ai toujours été fascinée par les pierres précieuses, par la magie envoûtante qui émane d'elles.

Une nouvelle fois, Hawke se demanda si cette passion commune pour les bijoux avait constitué le seul lien entre Morna et Jacob Ward. Et soudain, il repensa à la nouvelle qui lui était parvenue le jour même : le fils de Jacob était peut-être vivant. Si cela s'avérait exact, que ferait la jeune femme ? Abandonnerait-elle Tarika Bay ou essaierait-elle de conserver son héritage ? Si elle était aussi cupide qu'on le disait, pourquoi avait-elle refusé de vendre les terres que le vieil homme lui avait laissées ?

D'un autre côté, elle avait bien accepté l'argent de cet ignoble Glen Spencer. Peut-être s'agissait-il d'une forme de revanche sur celui qui l'avait considérée comme sa chose ?

Mais une question plus grave le tracassait : comment allait-elle s'y prendre pour rembourser ses clients si l'assurance refusait de la dédommager ?

Il posa sa fourchette sur son assiette vide.

L'abandon et la passion dont Morna avait fait preuve entre ses bras étaient-ils un calcul de sa part ? Espérait-elle l'attendrir pour lui demander de l'argent ? A cette seule pensée, il sentit une colère folle s'emparer de lui.

— Tu as choisi une carrière passionnante, où il faut être à la fois créatif et habile de ses mains. Je t'envie sincèrement.

Hawke lut la plus complète stupéfaction dans le regard de Morna.

— Mais c'est un travail très prenant, observa-t-elle d'une voix lointaine.

Quelque chose dans l'attitude de la jeune femme disait à Hawke qu'il venait de toucher un point sensible. Cela avait-il un rapport avec Glen Spencer ? Hawke se souvenait qu'il aurait interdit à Morna de travailler pendant qu'elle était sa maîtresse. S'imaginait-elle que lui aussi se montrerait possessif et dominateur ? Pourtant seul un homme à l'ego extrêmement fragile pourrait exiger qu'une femme aussi talentueuse abandonne sa carrière.

Soudain, Hawke sentit une envie irrésistible de forcer Morna à reconnaître qu'il était différent de ce Glen Spencer.

122

Il réussit néanmoins à se contrôler et se contenta de lui prendre la main.

Avec une intense satisfaction, Hawke la vit rougir et respirer plus vite. Même si Morna avait l'intention de lui demander de l'argent, il était certain qu'elle le désirait vraiment. Elle avait aimé faire l'amour avec lui. Cela ne faisait aucun doute. Mais pour autant, ces moments signifiaient-ils quelque chose d'important pour elle ?

Hawke fronça les sourcils. Il s'agissait là d'une question fort dangereuse... et qu'il ne s'était jamais posée pour aucune autre femme.

Morna observait le visage soucieux de Hawke et se demandait à quoi il pouvait bien penser. Elle brisa le silence qui s'était installé entre eux en s'exclamant d'un ton enjoué :

— C'était absolument délicieux ! Quel est le plat suivant ?

D'un geste, Hawke indiqua la poêle d'où émanait une délicieuse odeur de poulet aux herbes.

— Je vais le chercher, dit Morna.

Une fois revenue à table, elle se mit à faire le service.

— Ce chef est un génie, lança-t-elle. Je crois bien être tombée amoureuse de sa cuisine.

— Dommage pour lui, répliqua Hawke. Il va donc falloir que je le mette à la porte.

Morna éclata de rire, ce qui ne l'empêchait pas de ressentir une vague sensation de malaise.

— Cathy m'a dit que tu venais de rentrer d'un voyage en Afrique, dit-elle. As-tu participé à un safari ?

— Non, il s'agissait d'un voyage d'affaires. J'ai un associé là-bas qui essaie de mettre sur pied un élevage de bétail en croisant diverses espèces. C'est un de mes projets favoris.

Morna lui posa encore quelques questions. Hawke avait l'air surpris de l'intérêt qu'elle manifestait pour son travail. Et ce fut avec un plaisir non dissimulé qu'il décrivit les régions extraordinaires qu'il venait de visiter.

Puis, ils se mirent à faire la vaisselle tout en poursuivant leur conversation.

La nuit était déjà tombée lorsque Morna jeta un coup d'œil par la fenêtre.

— Le clair de lune est splendide. Si nous allions faire un tour ? proposa-t-elle.

Hawke lui lança un regard impassible et se contenta de répondre :

— Pourquoi pas ?

Ils se promenèrent en silence le long de la plage, émerveillés par le clair de lune dont l'intensité inhabituelle empêchait de distinguer l'éclat des étoiles.

Lorsque Morna frissonna, Hawke mit un bras autour de ses épaules pour la protéger de la fraîcheur nocturne.

— Il est temps de rentrer, affirma-t-il.

Une fois à l'intérieur de la maison, Hawke se tourna vers Morna avant de demander d'un ton grave :

— Aurais-tu peur, par hasard ? Si tu préfères que je parte, tu n'as qu'un mot à dire, tu sais.

Morna se mordit la lèvre, puis décida qu'il valait mieux se montrer sincère.

— J'aimerais que tu restes. Mais… j'ai besoin de me retrouver seule. De réfléchir à ce qui vient de se passer. Ce matin, je n'aurais jamais pensé que…

Elle s'arrêta, déconcertée par le sourire ironique qui venait d'apparaître sur le visage de Hawke.

— Je n'en crois pas un mot, Morna.

Elle ne put s'empêcher de rougir. Hawke lui caressa la joue et ajouta avec douceur :

— Ce n'est pas grave. On se verra demain.

— C'est impossible. J'ai beaucoup trop de travail en ce moment.

Même si Hawke ne semblait pas la croire, Morna avait besoin de temps et de solitude. Car quelque chose d'extraordinaire venait de lui arriver, quelque chose qu'elle avait encore du mal à analyser.

— Bien, je vais y aller, dit enfin Hawke.

Elle le raccompagna jusqu'à sa voiture. Soudain, elle frissonna de la tête aux pieds.

— Tu vas prendre froid, déclara-t-il en l'attirant vers lui.

Il l'embrassa avec une telle ardeur que Morna fut sur le point de changer d'avis.

Mais quelques secondes plus tard, il desserrait son étreinte et montait rapidement dans la voiture.

— Bonne nuit, Morna, dit-il d'une voix douce.

Il démarra, et Morna regarda disparaître la Range Rover dans la nuit.

De retour au chaud, elle se rendit dans sa chambre, où son regard s'arrêta sur le lit défait. Hawke s'était révélé un amant extraordinaire, et même plus que cela. Car derrière sa fougue et le plaisir presque insupportable que son étreinte avait provoqué en elle, Morna avait cru percevoir une infinie tendresse.

Lentement, elle se mit à refaire le lit. Entre les bras de Hawke, elle avait eu l'impression d'être transportée dans un autre univers, un univers où régnaient d'autres lois et d'autres valeurs. Et lorsqu'elle avait regardé Hawke partir, tout à l'heure, un vide effrayant avait surgi au plus profond d'elle-même.

Elle s'était promis de ne jamais plus dépendre d'un homme. Mais qu'était-elle en train de faire de sa promesse ?

Morna se pelotonna dans un fauteuil, et regarda le clair de lune qui se reflétait sur la mer. Elle frissonna, et les larmes se mirent à couler sur ses joues.

— Morna !

Fonçant les sourcils, la jeune femme leva la tête de sa table de travail.

— Annie ? Qu'y a-t-il ? interrogea-t-elle en posant la bague qu'elle était en train de tailler.

— Quelqu'un souhaite vous voir, annonça son assistante avec un regard plein de sous-entendus.

Morna sentit son cœur battre plus fort. Deux jours s'étaient écoulés depuis qu'elle et Hawke avaient fait l'amour. Etait-ce lui ? Mais pourquoi venait-il la voir ici ?

— De qui s'agit-il, Annie ?

— Je n'en ai aucune idée. Mais il est beau comme un dieu. Et il n'a pas l'intention de partir avant de vous avoir rencontrée.

— Bon, j'arrive.

Morna sentit son cœur bondir dans sa poitrine quand elle vit Hawke. Vêtu d'un costume strict, il examinait un splendide pendentif en diamant.

Il leva les yeux vers elle et la regarda en silence quelques seocndes.

— Ça n'a pas l'air d'aller, dit-il enfin.

— Si, tout va bien. Mais j'ai beaucoup de travail.

— Alors, il faut faire une pause pour ménager tes forces. Viens déjeuner avec moi.

Morna sentit sa gorge se serrer. Il était donc venu pour

elle ! Cela ne signifiait probablement rien, mais elle ne pouvait s'empêcher d'en être heureuse.

— Avec plaisir. Je serai prête dans un instant, répondit-elle avant de se diriger vers son atelier.

A la hâte, Morna remit du rouge sur ses lèvres.

Mais soudain, elle se figea. Que signifiait l'espoir fou qui s'était emparé d'elle ? Elle n'allait tout de même pas se montrer naïve au point de croire aux miracles ! Hawke Challenger était un merveilleux amant, mais s'attacher à lui serait une pure folie. De toute évidence, celle qui parviendrait à lui passer la corde au cou n'était pas encore née.

10.

Quand elle revint dans la boutique, Morna sentit un frisson la parcourir tout entière en voyant le regard brûlant que Hawke posait sur elle.

En silence, ils sortirent de la bijouterie et se dirigèrent vers la voiture de Hawke.

— Nous pourrions aller chez Mil, si tu es d'accord.

Comment refuser de déjeuner dans un des restaurants les plus chic de la ville ?

— Avec plaisir, répondit Morna d'un ton enjoué.

Il hésita un instant avant d'ajouter :

— On ne dirait pas que ta bijouterie a été récemment cambriolée.

— Oui, les ouvriers ont fait un travail remarquable, répondit Morna, en espérant que sa voix ne trahissait pas sa nervosité.

Ils montèrent en voiture et Hawke démarra.

La banque avait finalement consenti à lui accorder un prêt, mais les conditions exigées s'avéraient particulièrement difficiles. Pendant de longues années, elle allait devoir gérer son argent avec la plus extrême prudence. Mais l'essentiel était là : elle pouvait rembourser tous ses clients, sans aucune exception. Quant à l'argent de Glen, elle allait devoir attendre avant de pouvoir s'en débarrasser définitivement, car l'offrir à des œuvres de bienfaisance lui était maintenant devenu impossible.

Mais pas question de se soucier de cela à présent. Elle était bien décidée à profiter de ces instants en compagnie de Hawke.

— Tu reviens d'un rendez-vous d'affaires ? demanda-t-elle en regardant son superbe costume sombre.

— Oui, répondit-il tandis qu'il garait la voiture devant le restaurant. J'en ai un autre cet après-midi. Et ce soir, je dois assister à un dîner donné par le ministre de l'Economie. Il paraît qu'il veut connaître mon avis sur certaines questions. Mais je suis certain qu'il refusera toute proposition pouvant déplaire à son électorat.

— Si je comprends bien, je représente un instant de détente dans une journée bien remplie, fit remarquer Morna d'un ton léger.

Hawke lui lança un regard pénétrant avant de répliquer d'une voix sourde :

— Tu es bien plus que ça. En fait, j'aurais aimé passer le reste de l'après-midi avec toi. Malheureusement je ne peux pas me libérer.

— Moi non plus, de toute façon. Je dois absolument terminer la commande d'une cliente.

Pendant le repas, le désir qu'ils ressentirent l'un pour l'autre fut si intense que Morna ne garda aucun souvenir des mets qu'ils dégustèrent ensemble, ni même du sujet de leur conversation.

L'après-midi, elle fut incapable de se concentrer véritablement sur son travail. Et une heure seulement après le départ d'Annie, elle décida de quitter la bijouterie et de rentrer chez elle.

Une fois de retour à la maison, Morna se fit couler un

bain dans l'espoir d'apaiser la fièvre qui s'était emparée de ses sens.

Mais au moment où elle sortait de l'eau, elle entendit le bruit d'un moteur de voiture. En regardant par la fenêtre, elle vit des phares se rapprocher de chez elle.

Aussitôt, son cœur se mit à battre la chamade. Elle se sécha rapidement, s'enroula dans une serviette et se précipita vers la porte d'entrée.

Hawke se tenait devant elle.

Sans un mot, il pénétra dans la pièce, et referma la porte contre laquelle il s'adossa. Le regard brillant de désir, il observait Morna.

— Ton dîner était ennuyeux ? demanda-t-elle.

— Moins que je ne le craignais, répondit-il d'une voix rauque. Mais je n'ai pu penser qu'à toi.

Morna s'avança vers lui, tandis qu'un désir irrésistible envahissait chaque cellule de son corps. Hawke l'enlaça.

— Je veux voir ton sourire, murmura-t-il.

Morna lui sourit avec tendresse.

— Tu ressembles à un ange, affirma Hawke avant de l'embrasser avec passion.

Cette nuit-là, Morna découvrit pour la première fois tout ce qu'elle était capable d'offrir à un homme. Grâce à Hawke, elle découvrait que deux amants pouvaient se donner totalement l'un à l'autre, dans un mutuel abandon.

Le jour allait bientôt se lever quand il murmura à son oreille :

— A présent, il est temps de se reposer un peu.

S'endormir dans les bras d'un homme, quel délice incomparable !

*
**

130

Moulée dans une robe de satin bleu, Morna accrocha un superbe collier de topaze à son cou. Lorsqu'elle appliqua du mascara et un léger trait d'eyeliner sur ses paupières, elle eut l'impression que ses yeux ressemblaient soudain à de sombres joyaux. Elle déposa une touche de rouge sur ses lèvres, et s'observa attentivement dans le miroir. Oui, la robe qu'elle avait louée pour la soirée valait bien son prix !

A peine rentré d'un court voyage d'affaires à Singapour, Hawke l'avait invitée à un dîner organisé au profit de la recherche contre le cancer. Morna avait accepté sans hésiter, car sa mère avait été emportée par cette terrible maladie quelques années auparavant.

Soudain, elle entendit frapper à la porte.

Lorsqu'elle ouvrit, Morna sentit son cœur bondir dans sa poitrine. Rien ne l'avait préparée au choc de voir Hawke vêtu d'un smoking noir et blanc.

Il l'observa attentivement avant de déclarer :

— Tu es éblouissante de beauté… comme toujours d'ailleurs. Qu'est-ce qui t'a décidée à porter une robe d'une couleur aussi éclatante ?

Morna se sentit rougir et baissa les yeux.

— Elle m'a plu, c'est tout.

— Elle me plaît aussi… infiniment, affirma-t-il en lui jetant un regard brûlant de désir. Malheureusement, je suppose que nous sommes obligés de sortir…

— Oui, murmura Morna. Nous devons y aller. D'autant plus que j'ai créé une pièce unique, un pendentif, pour l'offrir aux enchères.

— Dans ce cas, il vaut mieux que je ne te touche pas, dit-il en s'efforçant de sourire.

Toute la soirée, Morna se sentit nerveuse et tendue. Elle ne pouvait détacher les yeux de Hawke, et elle n'entendit presque rien des discours qui furent prononcés lors de la vente aux enchères. C'est à peine si elle remarqua que son pendentif avait été adjugé à plus de deux fois sa valeur.

Décidément, Hawke prenait bien trop d'importance dans sa vie, se dit-elle. Avec une infinie tristesse, elle se rendait compte qu'elle allait bientôt devoir faire un choix cruel. Valait-il mieux tout arrêter maintenant, ou attendre qu'un miracle ne se produise ?

Que fallait-il faire ? Ecouter l'angoisse qui la tenaillait et rompre avec Hawke au plus vite ? Ou bien laisser une chance au faible espoir qu'elle avait ?

C'est alors qu'elle entendit Hawke lui murmurer à l'oreille :

— Il se fait tard. Il est temps de s'éclipser.

Elle hocha la tête. A vrai dire, elle se sentait lasse de voir les femmes admirer Hawke, les hommes lui serrer la main et lui parler d'un air respectueux, alors que tous paraissaient ressentir pour elle, en revanche, la plus profonde méfiance.

Elle avait hâte de rentrer chez elle. Et quelles que soient les épreuves à venir, cette nuit leur appartiendrait, à eux seuls. De cela, Morna en était certaine.

11.

Après une nuit merveilleuse dans les bras de Hawke, Morna se réveillait en douceur. L'odeur de la mer lui chatouillait les narines, tandis qu'elle entendait au loin le cri d'une mouette.

Elle se souvenait que Hawke avait tenté de la réveiller dans la nuit. Mais elle s'était pelotonnée contre lui, et il l'avait embrassée avant de la laisser de nouveau sombrer dans un profond sommeil.

Elle tendit l'oreille mais seul lui parvenait le murmure apaisant de la mer. La maison était silencieuse. Elle s'étira et se tourna du côté du lit où Hawke avait passé la nuit. Elle blottit sa tête contre l'oreiller qui gardait encore cette odeur qui n'appartenait qu'à lui. Grisée de plaisir, elle se sentait incapable de bouger ni même de penser.

Lorsque le bruit strident du téléphone retentit à son oreille, elle fit cependant l'effort de tendre le bras pour décrocher l'appareil.

— Allô ? murmura-t-elle d'une voix encore endormie.

— Pourrais-je parler à Hawke Challenger, s'il vous plaît ? demanda une voix qu'elle ne connaissait pas.

— Je suis désolée, mais il n'est pas là pour le moment.

— Vous voudrez bien lui dire que Patrick Ward souhaite lui parler ?

Morna se redressa vivement dans le lit, tandis que son interlocuteur poursuivait :

— Je viens d'arriver en Nouvelle-Zélande. Dites-lui de m'appeler pour régler les derniers détails de l'accord auquel nous sommes parvenus à Singapour.

Après une pause, l'homme ajouta d'un ton où perçait une certaine impatience :

— Etes-vous sûre d'avoir bien compris ce que je viens de vous dire ?

— Oui, parvint-elle à répondre, sous le choc.

— Bien. Merci, dit l'homme avant de raccrocher.

Morna se leva tel un automate. Pendant un long moment, son regard fixa le lit défait, tandis que les paroles de Patrick Ward résonnaient à ses oreilles.

Elle passa sur son front une main fébrile. Ainsi, il était bien vivant. Pauvre Jacob… Le vieil homme avait pleuré son fils pendant de longues années. Il avait fini par accepter sa mort bien que son corps n'eût jamais été retrouvé. Si seulement Jacob avait su que son fils était vivant…

Les larmes aux yeux, Morna secoua la tête. Elle ne devait surtout pas se laisser submerger par le chagrin. Pas maintenant. Avant tout, elle devait réfléchir.

De toute évidence, Hawke avait réussi à retrouver Patrick Ward et, au lieu de lui en parler, il avait organisé une rencontre secrète avec lui.

Morna avait l'impression d'avoir reçu un coup de poing à l'estomac. Elle croisa les bras sur sa poitrine, comme pour protéger son cœur meurtri.

Quand Hawke avait-il su que Patrick Ward était toujours en vie ?

Elle se força à respirer profondément à plusieurs reprises afin de recouvrer un semblant de calme.

Hawke l'avait-il séduite dans l'espoir qu'elle lui vende la maison de Jacob et les terres attenantes ? Une fois parvenu à ses fins, il l'aurait probablement abandonnée, comme Glen n'avait pas hésité à le faire par le passé.

Une intense douleur transperça le cœur de Morna, qui ne put retenir un gémissement de douleur.

Certes, le cynisme dont Hawke avait fait preuve méritait le plus profond mépris. Mais elle avait aussi une part de responsabilité dans la terrible situation dans laquelle elle se trouvait. Elle s'était laissé griser par la passion, tout en oubliant les leçons du passé.

Seigneur, elle devait partir avant que Hawke ne revienne...

Elle remarqua alors un message déposé sur la table de nuit. C'était la première fois qu'elle voyait l'écriture de Hawke, et sa gorge se noua à cette idée.

« Morna,
» On m'a appelé d'urgence. Un de mes directeurs a été victime d'un grave accident sur l'Ile du Sud. Il se peut que j'aie du mal à te joindre. Mais j'essaierai de t'appeler ce soir. J'espère que tu as bien dormi. »

En guise de signature, Hawke avait inscrit l'initiale de son prénom.

Devant la délicatesse dont Hawke semblait faire preuve envers elle, Morna se sentit envahie par la colère. Quel ignoble hypocrite ! Probablement se trouvait-il déjà à Auckland pour rencontrer Patrick Ward !

Les larmes aux yeux, Morna s'habilla, rassembla rapidement ses affaires et sortit de la maison d'un pas résolu. A tout prix, elle devait s'éloigner de cet amour contre lequel elle avait résisté de toutes ses forces. Un amour dont elle percevait la profondeur, à présent qu'il se trouvait réduit en cendres.

Annie entra précipitamment dans l'atelier.

— Il est de nouveau là !

— Je ne veux pas le voir, déclara froidement Morna.

Elle espérait que le rythme rapide de sa respiration ne trahissait pas l'émotion qui s'était emparée d'elle.

— Vous savez, il a l'air vraiment décidé à vous parler, continua Annie d'une voix un peu hésitante.

— Dites-lui de s'en aller. Et la prochaine fois, ne le laissez pas entrer dans le magasin.

— Pourquoi ne pas me le dire toi-même ? demanda soudain Hawke d'un ton glacial.

Il se tenait dans l'embrasure de la porte, et affichait un air froid et déterminé.

— Il s'agit d'une pièce sécurisée dont l'accès est interdit au public.

— C'est parfait, nous ne serons pas dérangés, répliqua Hawke d'une voix monocorde.

Il se tourna vers Annie.

— Auriez-vous l'amabilité de nous laisser ?

La jeune femme jeta un regard hésitant à Morna.

— Allez-y, Annie, vous pouvez y aller.

Quand l'assistante eut quitté l'atelier, Hawke demanda sèchement :

— Pourquoi n'habites-tu plus chez toi ?

Morna se leva. Il n'était pas question de se laisser dominer par cet homme dans son propre atelier.

— Tout simplement parce que je ne souhaitais plus y habiter.

Hawke lui lança un regard perçant.

— Et où vis-tu à présent ?

— Ça ne te regarde pas, rétorqua-t-elle d'un air de défi.

— Dis-moi au moins pourquoi tu t'es enfuie.

— Je suis certaine que tu connais déjà la réponse, répliqua Morna d'un air méprisant.

— Tu es partie parce que tu manques de courage, affirma Hawke. Après le coup de fil de Patrick Ward, pourquoi n'es-tu pas restée pour tirer cette affaire au clair ?

— Et pourquoi l'aurais-je fait ? J'en savais bien assez !

— Tu aurais pu au moins me demander quelles étaient mes intentions.

— Tes intentions, je les connais déjà. A peine Patrick Ward aura-t-il hérité de son père que tu lui rachèteras Tarika Bay.

Malgré sa colère, Morna espérait au plus profond d'elle-même que Hawke était venu pour se justifier. Et qu'elle pourrait ainsi lui pardonner.

— Tu t'entendrais parfaitement avec Patrick Ward, finit-il par déclarer d'une voix calme. Lui aussi est fasciné par les pierres précieuses.

Morna répliqua d'un ton acerbe :

— Je sais. Jacob m'a longuement parlé de son fils.

— Mais tu ne sais probablement pas qu'il a croupi pendant trois ans dans une prison en Afrique. C'est seulement après avoir réussi à s'enfuir qu'il a envoyé une lettre à son père. L'exécuteur testamentaire de Jacob Ward l'a reçue, et c'est lui qui m'a prévenu.

— Quand exactement ? demanda Morna en retenant son souffle.

— Trois jours avant mon voyage à Singapour, affirma Hawke, l'air impassible.

Sans le savoir, il venait de confirmer tous ses soupçons.

— En un mot, tu as saisi ta chance, dit-elle d'une voix monocorde. Et bien entendu, tu ne m'as tenue au courant de rien. Mais pourquoi l'exécuteur testamentaire n'a-t-il pas prévenu mon avocat ?

— Il ne l'a pas fait parce qu'il pensait que tu étais une femme cupide.

Morna tressaillit.

— Ainsi, j'ai été jugée et condamnée sans même l'ombre d'une preuve.

— Tout le monde sait que tu as été la maîtresse de Glen Spencer, et qu'il t'a entretenue pendant des années, rétorqua Hawke d'un ton glacial. Tout le monde sait aussi qu'il s'est montré très généreux avec toi quand tu es partie.

Morna se sentait si profondément blessée qu'elle resta silencieuse pendant quelques instants.

— Tu crois savoir beaucoup de choses, déclara-t-elle enfin avec amertume. Pourtant, tu ne sais pas que j'aimais beaucoup Jacob Ward. Je lui avais demandé de ne pas me léguer sa maison, mais il ne m'a pas écoutée. Et si j'avais pensé une seule seconde que son fils pouvait être encore vivant, jamais je n'aurais accepté. Pour résumer, tu aurais pu obtenir cette maison sans te donner la peine de devenir mon amant.

— Est-ce vraiment tout ce que notre relation représente à tes yeux ? demanda Hawke avec mépris.

Pendant un bref instant, Morna se sentit déstabilisée. Mais poussée par la colère et par une volonté farouche de ne pas lui laisser paraître à quel point elle était blessée, elle répondit d'un air qu'elle espérait indifférent :

— Relation ? C'est un bien grand mot. Je dirai plutôt… une aventure sans lendemain. D'ailleurs, je ne veux plus jamais te revoir. J'ai une fâcheuse habitude, vois-tu : je déteste les traîtres.

Hawke hésita avant de déclarer d'une voix radoucie :

— Morna, écoute-moi… Je t'en prie.

— J'ajoute que ce matin, j'ai officiellement renoncé à l'héritage de Jacob. Ainsi, tu as gagné. Maintenant, j'ai du travail à terminer et je veux que tu me laisses.

Sans un mot, Hawke tourna les talons et sortit de l'atelier.

Pendant un instant, Morna crut qu'elle allait se trouver mal. C'était terminé à présent… Un jour, elle serait sûrement ravie de ne pas l'avoir laissé parler. Car si elle l'avait fait, elle lui aurait certainement accordé de nouveau sa confiance.

A présent, il fallait à tout prix qu'elle oublie cet homme qui l'avait tant fait souffrir.

Une semaine plus tard, Morna se trouvait dans son atelier lorsqu'elle reçut un coup de téléphone de la police. Les bijoux n'avaient pas été retrouvés, mais les cambrioleurs venaient d'être appréhendés.

Cela lui mit un peu du baume au cœur, tout comme l'essor inattendu que prenaient en ce moment ses affaires. Pourquoi cette embellie, elle n'en avait aucune idée. Peut-être avait-elle croisé les bonnes personnes lors de cette soirée caritative où elle avait offert un bijou aux enchères ? A moins qu'avoir été vue en compagnie de Hawke ait représenté un gage de confiance pour certains ? Peut-être, enfin, recevait-elle tout simplement des marques de sympathie après l'épreuve qu'elle venait de subir ?

Elle tendit la main pour déchirer une page du calendrier accroché en face d'elle.

Cela faisait déjà trois mois que son bonheur s'était brisé, le jour où elle avait entendu la voix de Patrick Ward au téléphone. Morna savait qu'avec le temps, la souffrance s'atténuait, et pourtant, c'était avec une infinie douleur qu'elle ressentait encore l'absence de Hawke.

Elle s'apprêtait à dépouiller le courrier lorsque son regard fut soudain attiré par une lettre recommandée provenant d'un cabinet d'avocats, celui qui s'était occupé des affaires de Jacob Ward. Elle décacheta la lettre avec fébrilité. Puis, rassemblant tout son courage, elle lut les quelques lignes rédigées avec concision et froideur, dans un effroyable jargon juridique.

Elle n'en croyait pas ses yeux ! Hawke Challenger lui donnait Tarika Bay ! Les documents joints dans l'enveloppe ne laissaient aucun doute à ce sujet.

Ce n'était pas possible !

Morna sentit une terrible colère s'emparer d'elle. Jamais elle n'accepterait quoi que ce soit de la part de cet homme. Et certainement pas Tarika Bay ! Mais comment s'y prendre pour refuser ? Le mieux était sans doute de se rendre directement à son bureau.

S'il était absent, elle laisserait simplement les documents à sa secrétaire. Mais s'il était là… elle lui dirait ce qu'elle pensait des hommes qui croyaient qu'on pouvait l'acheter. Il n'aurait pu choisir un moyen plus sûr de l'humilier.

Lorsque Morna pénétra dans les bureaux où Hawke avait installé sa société, elle fut reçue par une secrétaire, une jeune femme rousse au large sourire.

— En quoi puis-je vous aider, madame ? s'enquit-elle.

140

— Je veux voir M. Challenger, répliqua Morna d'un ton sec.

— Est-ce qu'il vous attend ?

Avec un sourire glacial, Morna répondit :

— Oui. Je suis sûre que oui.

12.

— Qui dois-je annoncer ? demanda la secrétaire en décrochant le téléphone.

— Morna Vause.

Lorsque Hawke apparut, Morna vit immédiatement qu'il était fatigué. Mais l'éclat de ses yeux verts restait le même. Et le sourire qu'il lui adressa la troubla comme au premier jour.

— Bonjour, Morna, dit-il d'une voix calme. Passons dans mon bureau, veux-tu ?

Elle le suivit sans un mot dans une pièce immense et claire, d'où la vue plongeait sur une baie splendide.

— Assieds-toi, je t'en prie, proposa Hawke.

Toujours debout, Morna déclara d'un ton sec :

— Il est hors de question que j'accepte ton offre.

Elle laissa tomber sur le bureau de Hawke le courrier provenant du cabinet d'avocats.

Il ignora son geste.

— Tu as mauvaise mine, Morna. Tu es sûre que tu vas bien ?

Il s'approcha d'elle et lui saisit le menton avant de poursuivre :

— Tu es très pâle et tu as des cernes sous les yeux.

— J'ignore de quoi tu parles, répliqua Morna d'un air hautain. Et ôte ta main de mon visage, s'il te plaît.

Elle se dégagea d'un mouvement rapide de la tête.

— Pourquoi m'as-tu fait envoyer ces papiers ?

— Parce que c'était la seule façon de te faire venir jusqu'à moi.

— Et pour quelle raison voulais-tu me voir ? demanda-t-elle d'une voix amère.

Hawke s'assit au bord de son bureau et croisa les bras.

— Pourquoi m'as-tu caché que tu devais rembourser tes clients, après le cambriolage ?

— Et en quoi mes problèmes d'argent te concernent-ils ? répondit Morna tout en se demandant où Hawke voulait bien en venir. La banque m'a accordé un prêt. Tu n'as aucun souci à te faire pour moi, si c'est ce qui te préoccupe. D'ailleurs, j'ai appris à survivre à tout depuis bien longtemps.

— C'est une qualité que nous avons en commun, Morna. Nous avons beaucoup de choses en commun, tu sais... comme l'habitude de ne faire confiance à personne, par exemple.

Morna se mordit la lèvre. Sans lui laisser le temps d'ajouter un mot, Hawke poursuivit :

— Nous avons été amants, et pourtant, tu ne m'as presque rien dévoilé de ton passé.

— Et j'ai eu raison ! Tu n'es qu'un intrigant !

— C'est vraiment ce que tu penses de moi ? demanda-t-il.

Les mâchoires serrées, Hawke la regarda droit dans les yeux avant d'ajouter :

— Il faut que tu saches une chose, Morna : j'ai horreur de la duplicité. La tromperie n'est certainement pas dans mes habitudes, et surtout pas envers une femme.

Morna sentit le rouge lui monter aux joues.

— Moi aussi, je déteste le mensonge.

Hawke demeura silencieux quelques instants.

— Maintenant, j'en suis persuadé, finit-il par déclarer d'un air convaincu.

— Alors, tu croyais vraiment que j'usais de mes charmes pour soutirer de l'argent à des hommes fortunés ! s'exclama Morna, scandalisée.

— La première fois que je t'ai rencontrée, je n'étais sûr de rien. Mais il faut dire que tu avais une certaine réputation, observa Hawke d'un ton calme.

— Si tu veux parler de l'argent que Glen m'a donné pour mes études, je le lui ai remboursé jusqu'au moindre centime, précisa Morna d'un air méprisant. Bien que je ne puisse pas t'en apporter la preuve.

— Je n'ai besoin d'aucune preuve pour te croire. Mais je m'interroge encore sur la raison pour laquelle Jacob Ward a fait de toi son héritière.

— Pourquoi ne me l'as-tu pas demandé, tout simplement ?

— Je l'ai fait. Mais j'ai vite compris que tu ne souhaitais pas en parler. D'ailleurs, tu ne voulais rien m'apprendre sur toi.

— Je t'ai pourtant parlé de mon enfance, murmura Morna.

— C'est beaucoup dire... En réalité, j'ai péniblement réussi à t'extorquer quelques phrases sur ton passé. D'ailleurs, le mien ne semblait pas t'intéresser beaucoup non plus. Pendant ces jours que nous avons vécus ensemble, tu n'as jamais pris la peine de savoir qui j'étais vraiment. Ton intérêt pour moi semblait s'arrêter à la porte de notre chambre.

Soudain Morna se sentit envahie par la honte. Elle baissa les yeux. A trop vouloir se protéger, elle avait négligé Hawke, de peur de se mettre à l'aimer...

— Eh bien, tu as tort. Tu m'intéresses plus que tu ne peux l'imaginer, affirma-t-elle, sans bien comprendre pourquoi elle prononçait ces paroles.

Malgré elle, Morna sentait un espoir fou envahir son cœur.

— Pourquoi ne m'as-tu pas dit que Patrick Ward était vivant ? continua-t-elle.

Hawke sembla hésiter un instant.

— J'avais peur. Tout simplement.

Elle éclata d'un rire incrédule.

— Peur ? Toi !

— Je savais que tu ressentais du désir pour moi. Mais ça ne me suffisait pas. Voilà ce qui m'effrayait.

— Et qu'est-ce que tu espérais de plus ?

Hawke haussa les épaules.

— Un peu de confiance, peut-être.

— Vraiment ? interrogea Morna, surprise. Mais tu m'as caché le fait que tu avais rencontré Patrick Ward. Qu'étais-je censée en penser ?

Le regard intense de Hawke la fit frissonner.

— Dès le début, j'ai cherché à te venir en aide, Morna. Mais je voulais aussi une preuve de ton honnêteté. Et puis, je désirais que tu voies en moi plus qu'un simple amant de passage. En te désistant au profit de Patrick Ward, tu m'as apporté la preuve que j'attendais tant. Mais j'ai aussi compris, à ce moment-là, que jamais plus tu ne pourrais me faire confiance. Alors, pour la première fois de ma vie j'ai vraiment souffert.

Ebahie, Morna finit par prononcer d'une voix tremblante :

— Pourquoi es-tu entré en contact avec Patrick Ward ?

Hawke lui adressa un sourire empreint de lassitude.

145

— Parce que je voulais à tout prix t'offrir Tarika Bay.

— Mais pourquoi ne m'as-tu rien dit après ton retour de Singapour ?

— J'ai voulu te le dire, mais j'ai eu peur que tu ne me croies pas, que tu me repousses… Et puis, un de mes directeurs a été victime d'un stupide accident. J'ai été obligé de partir et de remettre à plus tard ce que je comptais t'avouer à ton réveil. Malheureusement, quand je suis revenu, il était déjà trop tard.

Morna sentait monter en elle une irrésistible envie de croire Hawke.

— Excuse-moi, Morna. Signer cet accord avec Patrick Ward a été une terrible erreur, mais je ne te cacherai plus rien à l'avenir, c'est un serment que je te fais. Veux-tu bien me croire ? Tu n'as pas mis en doute la parole d'Annie quand elle t'a affirmé avoir simplement oublié de refermer le coffre. Si tu peux lui accorder ta confiance, pourquoi ne pourrais-tu pas faire la même chose pour moi ?

Désemparée, Morna secoua la tête.

— Hawke, je ne sais pas quoi faire.

— Aime-moi, répliqua-t-il sans hésitation, d'une voix pleine de tendresse.

Elle leva vers lui des yeux baignés de larmes.

— Mais je t'aime depuis le premier jour où nos regards se sont croisés, dit-elle d'une voix brisée par l'émotion. Seulement, je ne le savais pas.

Hawke la prit tendrement dans ses bras.

— Alors, puisque tout est clair à présent, quand nous marions-nous ? demanda-t-il en souriant.

Morna lui lança un regard interloqué.

— Mais que va penser ta mère ? Elle va probablement

croire que tu as perdu l'esprit. Ne te rappelles-tu pas d'où je viens ?

— Ma mère va t'adorer. Sauf si tu refuses ma demande en mariage. Elle fera alors probablement appel à une demi-douzaine de mes cousins pour te décider à m'épouser. Et je ne te blâmerai pas si tu prends tes jambes à ton cou en découvrant ma nombreuse et envahissante famille.

Hawke lui lança un regard en coin avant de poursuivre d'un air amusé :

— Il faut aussi que tu saches une chose : ma mère n'est pas renommée pour son tact. Attends-toi à ce qu'elle nous pousse à avoir rapidement un bébé : devenir grand-mère est son rêve le plus cher. Mais malgré ces petits défauts, elle est adorable. Et je suis certaine que tu vas l'aimer.

— Elever un enfant est une tâche difficile. Et je ne suis pas sûre d'être une bonne mère, affirma Morna, soudain prise de panique.

— Tu t'es bien élevée toute seule, d'après ce que je sais, répliqua Hawke en lui caressant doucement la joue.

Morna leva les yeux vers lui avant de déclarer :

— Comme tout semble simple avec toi !

— Ma chérie, à partir de cet instant je ferai tout pour que ta vie soit douce. A certains moments, tu refuseras sûrement mon aide, et nous aurons parfois des désaccords. Mais puisque nous nous aimons, nous pourrons surmonter tous les obstacles qui se présenteront sur notre route.

La calme assurance qui émanait de Hawke avait vaincu en Morna toute réticence, dissipé tous ses doutes.

— Oui. Tu as raison, murmura-t-elle en se blottissant entre ses bras puissants.

Épilogue

Mme Challenger se leva puis se dirigea vers la fenêtre.

— Je suis absolument certaine que tout se passera bien, déclara-t-elle.

— Bien entendu ! s'écrièrent Nick et Cathy à l'unisson. Cette dernière hésita un instant avant d'ajouter :

— D'ailleurs, Morna a une santé de fer et...

Soudain, la jeune femme s'interrompit en entendant s'ouvrir la porte de la salle d'attente. Tous trois se tournèrent en même temps vers l'homme qui venait d'apparaître.

Un large sourire illuminait le visage de Hawke.

— La maman va bien. Et les bébés sont en pleine forme. Leur poids est satisfaisant, et ils ne sont même pas considérés comme des prématurés.

Sa mère et ses amis émirent un profond soupir de soulagement, et Hawke se mit à rire.

— Morna s'est aussi juré de ne plus jamais revivre une expérience pareille.

— Pouvons-nous la voir ? demanda sa mère.

— Donne-nous une demi-heure, et ensuite vous pourrez venir.

Hawke retourna vers la chambre ensoleillée où l'on avait emmené Morna et les bébés. Lorsqu'il la vit, son cœur se mit à battre plus fort, comme chaque fois qu'il posait les yeux sur elle. La jeune femme était allongée dans son lit, le visage un peu pâle mais éclatant de bonheur. A côté d'elle, dans un grand berceau, se trouvaient leur fils et leur fille.

— Mon amour, murmura Morna tout en lui adressant ce sourire qu'elle ne réservait qu'à lui.

Elle désigna le berceau d'un geste de la main.

— Simon suce vigoureusement son petit poing. Et Fiona vient juste de s'endormir. J'espère qu'ils s'entendront bien avec ma petite Penny.

— J'en suis certain, affirma Hawke. Ta nièce est absolument adorable.

Hawke s'approcha du berceau et se pencha pour embrasser quatre petites joues roses. Puis, il s'assit au bord du lit et embrassa Morna, qui se blottit dans ses bras.

— Ma chérie, si tu savais comme je t'aime, dit Hawke avec une voix emplie d'une infinie tendresse.

Tandis qu'elle levait la tête vers lui, une lueur de confiance absolue passa dans son regard ambré.

— Avec toi, mon chéri, j'ai enfin compris que seul l'amour donne du sens à la vie. Ça ne fait qu'un an que nous sommes mariés, et pourtant, j'ai l'impression d'avoir toujours vécu pour devenir ta femme. Et aussi pour m'affirmer comme la bijoutière la plus douée de l'hémisphère Sud !

Hawke lui caressa la joue.

— Tu ne regrettes pas trop d'avoir abandonné le magasin ? Je sais qu'Annie s'en occupe très bien, mais...

— Je n'ai rien abandonné du tout, l'interrompit Morna. J'ai toujours la possibilité de dessiner et de créer des bijoux dans l'atelier de notre nouvelle maison. Ça me permettra de garder la main, jusqu'au jour où je cesserai d'être une mère à plein temps.

Ils venaient juste de faire construire une superbe demeure surplombant Tarika Bay. Hawke avait honoré la dette que Morna considérait avoir encore envers Glen, mais elle avait insisté pour rembourser elle-même le prêt de la banque. Comprenant parfaitement les sentiments de sa femme, Hawke avait accepté sans discuter.

Dans les bras l'un de l'autre, Morna et Hawke regardaient à présent leurs bébés qui dormaient d'un sommeil paisible. A travers ces enfants, ils entrevoyaient leur vie à venir. Une vie longue et heureuse, faite de rires et de complicité ; une vie de bonheur, protégée par la force de leur amour.

PASSION À MADRID, *Fiona Hood-Stewart* • N°2683

L'homme dont elle était enceinte allait se marier dans quelques semaines ! A son arrivée à Madrid, Georgiana était loin d'imaginer un scénario aussi catastrophique. Pourtant, sans qu'elle puisse rien y faire, elle était tombée amoureuse du duc Juan Felipe. A présent, comment allait-elle pouvoir lui avouer la vérité ?

LE PRINCE DE SES NUITS, *Miranda Lee* • N°2684

Passionnée de chevaux depuis toujours, Samantha voit son rêve se réaliser le jour où elle est engagée comme vétérinaire aux écuries royales de Dunbar. Mais ce rêve pourrait bien se briser lorsque le cheikh Rachid bin Said al Serkel décide de venir diriger les écuries pendant quelques semaines. Car dès qu'elle le voit, Samantha n'a plus qu'une envie : se soumettre au désir de cet homme terriblement séduisant et mystérieux...

LE VENIN DU DOUTE, *Lucy Monroe* • N°2685

Pour Rachel, la vie a pris les teintes sinistres d'un cauchemar... Par inconscience et par égoïsme, sa mère a provoqué la mort de son dernier époux en date, le riche et puissant Matthias Demakis. A présent, comment pourra-t-elle affronter Sebastian, le neveu de Matthias, et supporter ses reproches et sa colère, alors qu'elle l'aime depuis toujours ?

UN PATRON À AIMER, *Ally Blake* • N°2686

Irrésistibles patrons Emma va bientôt revoir Harry Buchanan, le richissime patron de Harold's House. Et une fois de plus, elle va prier pour qu'il l'embrasse enfin... Mais Emma sait qu'une telle chose n'est pas prête d'arriver. Pas avant que Harry ait enfin réglé ses comptes avec son passé...

Collection Azur
8 titres le 1er de chaque mois

Attention, numérotation des livres pour le Canada différente : numéros 1327 à 1334